Le combat
de Philippe St-Laurent

Les Éditions du Vermillon reconnaissent l'aide financière
du Conseil des Arts du Canada, du Conseil des arts de l'Ontario,
de la Ville d'Ottawa,
et du gouvernement du Canada (Programme d'aide
au développement de l'industrie de l'édition, PADIÉ,
du ministère du Patrimoine canadien) pour leurs activités d'édition.

 Patrimoine canadien   Canadian Heritage

Catalogage avant publication de la Bibliothèque nationale du Canada

Brosseau, Lucie, 1963-
    Le combat de Philippe St-Laurent : roman / Lucie Brosseau.

(Collection Romans)
ISBN 1-894547-49-7

    I. Titre.

PS8553.R6818C65 2002   C843'.6   C2002-905204-1
PR9199.4.B757C65 2002

Graphisme
et photographies (plat recto)
de la couverture
Christ Oliver

Les Éditions du Vermillon
305, rue Saint-Patrick
Ottawa (Ontario) K1N 5K4
Téléphone : (613) 241-4032 Télécopieur : (613) 241-3109
Courriel : editver@ca.inter.net

Diffuseur
Prologue
1650, avenue Lionel-Bertrand
Boisbriand (Québec) J7H 1N7
Téléphone : (1-800) 363-2864 (450) 434-0306
Télécopieur : (1-800) 361-8088 (450) 434-2627

ISBN 1-894547-49-7
COPYRIGHT © Les Éditions du Vermillon, 2002
Dépôt légal, quatrième trimestre de 2002
Bibliothèque nationale du Canada

LUCIE BROSSEAU

LE COMBAT
DE PHILIPPE ST-LAURENT

ROMAN

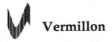 Vermillon

AVERTISSEMENT

L'action de ce roman, bien que fictive, pourra rappeler au lecteur certains événements survenus dans les années 1990, lorsque le ministère de la Santé et des Services sociaux a décrété les fusions de plusieurs centres hospitaliers situés sur le vaste territoire du Québec.

J'ai voulu imaginer une situation où un médecin, président d'un conseil des médecins, pharmaciens et dentistes, défendrait une cause en contournant les règles en usage. Serait-il possible qu'un médecin tente pareille aventure? Peut-être que oui, peut-être que non. Cette histoire est un roman et c'est seulement ainsi que le lecteur doit la percevoir.

Tous les faits et les personnages décrits dans *Le combat de Philippe St-Laurent* sont une pure fiction sortie de mon imagination. Toute ressemblance avec des personnages ou des faits réels ne peut donc être que fortuite.

Lucie Brosseau

REMERCIEMENTS

La toute première personne que je désire remercier est mon conjoint, Sylvain Vinet. Depuis déjà plus de vingt ans, tu m'appuies et tu crois à mes projets plus rocambolesques les uns que les autres. Tu es tout simplement merveilleux. Merci d'être dans ma vie.

Merci à mes parents, Jeannine Trudeau-Brosseau et Germain Brosseau, qui m'ont toujours encouragée à poursuivre mes rêves depuis ma tendre enfance. Maman, tu m'as inculqué, dans ta sagesse, la discipline, la rigueur, et surtout la persévérance et toi, papa, tu m'as transmis ce goût de foncer et de ne pas avoir peur d'émettre ses opinions. Ces valeurs m'ont bien servie à ce jour.

Merci à mon comité de lecture composé de Nicole Deslières, Lucie Dumont, Marianne Gauthier, Denise Gingras, Ginette Michaud, Monica Ouellet, Sylvie Provost, Jeannine Trudeau-Brosseau, Nicole Vinet et Sylvain Vinet. Votre aide, vos conseils, commentaires, suggestions, votre franchise et, surtout, votre professionnalisme et votre sens de l'engagement n'ont fait qu'améliorer ce roman. Je vous remercie sincèrement d'avoir accepté de m'accompagner dans cette grande aventure.

Un merci particulier aux auteurs Arlette Cousture, André Cartier, Marc Fisher, Gilles Ouimet et Martine Pratte. Vos judicieux conseils et vos réponses à mes nombreuses questions m'ont aidée à y voir clair et m'ont permis de continuer dans cet univers littéraire qui était nouveau pour moi.

Merci encore à toutes les personnes qui ont accepté de répondre à mes questions, ou qui m'ont ouvert leurs portes pour que je puisse effectuer mes recherches : Diane Arcand, Lynn Bonneau, Lucie Bourbeau, Ginette

Charbonneau, Francine Lortie, Lyne Patry, Andrée Marcil, Dr Jerry Dreyfuss, Madame Barré, propriétaire de *La Maison Serge Bruyère,* qui m'a fait visiter ce très beau relais gastronomique ; les employés du *Capitole,* de Québec, et du *Ritz Carlton,* de Montréal, pour m'avoir autorisée à visiter les suites ; une employée du service des plans à l'Hôtel de Ville de Québec.

Enfin, je remercie Sophie Sainte-Marie qui a révisé ce roman avant que je le présente à l'éditeur.

Finalement, je tiens à remercier du fond du cœur mon directeur littéraire, Monsieur Jacques Flamand, et Madame Monique Bertoli, directrice générale des Éditions du Vermillon, de me donner la chance d'entrer dans le merveilleux monde de l'édition. Votre sens de l'engagement, votre patience à répondre à mes innombrables questions, votre souci du détail font que je suis fière de faire partie de la famille Vermillon.

Vous, chers lecteurs et lectrices, je vous invite à me faire parvenir les commentaires que la lecture de ce roman vous aura inspirés, à l'adresse suivante :
Combat.de.psl@videotron.ca

Bonne lecture et à bientôt.

Lucie Brosseau

Ce 10 octobre 2002

NOTA
Le lecteur trouvera une explication des sigles dans le *Lexique médico-administratif,* pages 255 à 258.

À tous les employés, aux médecins et aux cadres du réseau de la santé et des services sociaux, ainsi qu'aux patients.

CHAPITRE PREMIER

Escapade à Saint-Sauveur

Philippe suivait Caroline alors qu'elle s'apprêtait à garer sa voiture. Spontanément, il consulta le cadran du tableau de bord ; avec de la chance, ils seraient à Saint-Sauveur-des-Monts à l'heure du lunch.

En général, ils procédaient ainsi lorsqu'ils s'évadaient dans les Laurentides. Elle le précédait d'une dizaine de minutes puis se dirigeait vers le Carrefour Laval, toujours au même endroit. De cette façon, ils évitaient d'éveiller les soupçons du personnel, car les rumeurs faisaient partie du folklore dans le centre hospitalier montréalais où ils travaillaient.

Caroline entra dans la voiture de Philippe et le regarda afin de s'enquérir de son humeur. Il lui sembla préoccupé. Quitter l'hôpital toute une demi-journée n'était pas nécessairement de bon aloi en ce mercredi de décembre. L'atmosphère au Centre de santé universitaire du Grand Montréal était des plus tendues. La veille, les médecins avaient transmis un ultimatum à l'exécutif du Conseil des médecins, dentistes et pharmaciens, communément appelé le CMDP. Si l'hôpital Sainte-Famille n'était pas exclu du processus de fusion qui formerait le CSUGM, ils démissionneraient en bloc au moment jugé opportun.

Philippe, à la barre de ce conseil depuis trois ans, avait réussi à calmer les troupes afin d'éviter le pire. Il s'était engagé à tenter l'impossible pour convaincre les autorités d'écarter Sainte-Famille du processus de fusion qui, de toute évidence, n'avait pas réussi à voir le jour depuis que le ministre de l'époque en avait fait l'annonce. Si les médecins ne désiraient plus faire partie de ce nouveau complexe de santé, ils devaient s'en remettre à leur exécutif.

Vers midi, ils traversèrent la Porte du Nord. Moins de quinze kilomètres restaient à parcourir pour atteindre Saint-Sauveur. Régulièrement, ils empruntaient, le temps d'un après-midi, le chalet du beau-frère de Caroline, retenu depuis seize mois à Dubayy, en Arabie Saoudite.

Dès leur arrivée au chalet, ils s'étaient jetés dans les bras l'un de l'autre sans crier gare. Ils se désiraient tellement; leur dernière rencontre intime datait déjà d'une semaine. Vers quatorze heures, ils avaient cassé la croûte pour prendre un peu de répit et puiser l'énergie nécessaire afin de mieux recommencer.

Faire l'amour pendant des heures signifiait pour eux une forme de communion, une façon de se dire qu'ils s'aimaient, qu'ils se désiraient. Parce que Philippe ne lui disait jamais ce mot d'amour, gardant cet aveu uniquement pour sa femme.

* * *

Caroline se dégagea doucement de Philippe. Elle s'étendit à ses côtés, s'allongea sur le dos puis fixa un point imaginaire du plafond. Philippe se rapprocha et se lova contre elle. Soudain, il leva la tête et la regarda tout en lui effleurant la joue du bout du nez.

– À quoi penses-tu, ma chérie?

Elle continua à fixer une des solives avant de lui répondre d'un ton plus acerbe qu'elle ne l'aurait voulu :

– Philippe, il y aura bientôt deux ans que nous vivons cette relation. Plus le temps avance, plus je réalise que tu ne te décideras jamais.

– Déjà deux ans ? fit-il, étonné.

– Oui, déjà! Je n'en peux plus. Je suis malheureuse de vivre ainsi, toujours dans l'attente que Monsieur se libère.

Philippe se dégagea d'elle et s'assit sur la moquette devant le foyer où le feu crépitait encore. Il passa la main dans ses cheveux et soupira longuement.

– Sapristi, Caroline. Tu ne vas pas encore revenir sur ce sujet-là! Toujours ces mêmes remarques, semaine après semaine. Que désires-tu savoir de plus ? Il me semble que nous avions fait le tour de la question jeudi dernier. Pas vrai ?

Il tourna la tête vers elle. Baissant un peu la voix, il ajouta :

– Nous travaillons ensemble près de huit heures par jour. Même, je suis plus souvent avec toi qu'avec Claire et les enfants. Que souhaites-tu de mieux en fait de disponibilité?

Caroline le dévisagea.

– Philippe, tu sais très bien où je veux en venir. Travailler ensemble et vivre ensemble, n'est pas la même chose. J'aimerais être ton épouse, pas juste ta maîtresse.

Philippe inspira profondément, les yeux tournés vers le mur.

Caroline continua.

– Nous travaillons peut-être de longues heures ensemble mais rarement seuls. Lorsque tu n'es pas en consultation avec un patient, tu procèdes à des interventions. Qui suis-je dans tout ça ? Ton infirmière, point. Ce que je souhaite, Philippe, c'est vivre notre amour au grand jour.

Elle se leva et se dirigea vers la fenêtre, à moitié nue.

— Fais attention, Caroline. On pourrait te voir.

— Je m'en fiche! lança-t-elle. Je voudrais tellement devenir ta femme.

Elle se retourna.

— Ma patience a atteint une limite. Si tu crois que j'ai l'intention de demeurer ta maîtresse toute ma vie, tu te trompes. Je t'avertis, Philippe, tu as un choix à faire : c'est Claire ou moi. À prendre ou à laisser.

Elle alla le rejoindre et le regarda droit dans les yeux.

— Je ne compte plus le nombre de fois où tu m'as dit que Claire était effacée, qu'elle ne t'épaulait pas dans ton projet, qu'elle détestait faire l'amour. Ma question est très simple : pourquoi es-tu incapable de te décider? Ce n'est pas ton genre d'être ambivalent!

Elle était désemparée. Philippe l'avait écoutée sans dire un mot, comme il le faisait depuis un certain temps. C'était devenu le sujet de prédilection de Caroline. Elle n'en démordait pas.

Philippe plissa le front et ajouta, d'une voix rude :

— Écoute, Caroline. Je vais te répéter pour la énième fois ce que je me tue à essayer de te faire comprendre. Je ne t'ai jamais rien promis. Vrai ou faux?

— C'est vrai! répondit-elle sèchement.

— J'ai accepté cette double vie à une seule condition : qu'elle ne perturbe en rien ma vie familiale. Et dès le début de notre histoire, j'ai été très franc avec toi. Jamais je ne t'ai caché n'avoir aucun désir de divorcer de Claire, que notre relation ne devait à aucun moment nuire à mes enfants, à ma carrière et à mes efforts pour sauver Sainte-Famille.

Caroline se leva et enfila sa blouse.

– Je crois savoir ce qu'il me reste à faire, lança-t-elle d'une voix empreinte de mépris.

– Qu'est-ce que tu veux dire, Caroline ?

– Je viens de te le dire !

Après un moment de silence, elle reprit :

– Je te donne un seul conseil, Philippe St-Laurent, il va falloir te décider d'ici les fêtes.

– Bon, c'est reparti ! Pourquoi avant les fêtes ?

Sentant qu'elle était sérieuse, il s'avança vers elle, la serra contre lui et changea de ton.

– Veux-tu me faire confiance. Tout va s'arranger, mais donne-moi du temps, bon Dieu ! Tu sais à quel point le dossier de la fusion me préoccupe ces jours-ci. J'ai besoin de toi, Caroline. Tu m'apportes la force nécessaire pour défendre mon point de vue sur ce projet et je ne veux pas te perdre, mais laisse-moi un peu de latitude !

Il lui souleva le visage pour qu'elle puisse constater son désarroi.

– C'est vrai que Claire ne m'appuie pas comme tu réussis si bien à le faire. Par contre, je ne crois pas pouvoir me séparer d'elle tant que son frère sera le DSP de Sainte-Famille.

– Si j'ai bien entendu, tant que Pierre de Belle-feuille sera en poste, on maintiendra le statu quo. Je demeurerai ta maîtresse. Point.

– Caroline...

– Quoi ?

– Essaie de comprendre.

– Philippe, c'est à toi de comprendre ! Je veux vivre avec toi, est-ce trop demander ! Je n'ai plus le goût de vivre cet amour dans la clandestinité. C'est tellement pas le genre de vie auquel j'avais rêvé puis... de toute façon, je mérite beaucoup mieux que ça !

À la suite de cette remarque, Philippe se dirigea vers le mur et s'y appuya, le temps de reprendre son calme. Quel était l'avantage d'avoir une maîtresse? songea-t-il. Du plaisir pendant quelques heures et, le reste du temps, cette remise en question qui revenait toujours à la surface. Il soupira. Au moins, avec Claire, il n'avait pas à s'évertuer pour lui prouver son amour. Pour elle, c'était une certitude.

Il comprit que seul le début de son aventure amoureuse avec Caroline avait été palpitant. Après, elle s'était attachée à lui, le voulant à elle seule. Philippe retourna s'asseoir sur la moquette.

— Souhaites-tu que nous cessions de nous voir? demanda-t-il, épuisé de revenir sur ce sujet maintes fois analysé et discuté au cours des dernières semaines.

— C'est ton désir?

— Écoute, je n'en peux plus de te répéter toujours la même chose. Il va falloir que nous nous entendions : tu acceptes les inconvénients liés au fait que je suis marié ou nous cessons de nous voir, tout simplement.

Il s'arrêta et prit un air décontenancé avant de poursuivre :

— Si tu envisages cette dernière solution, je te promets de respecter ta décision même si celle-ci ne me plaît pas. Par contre, je ne peux malheureusement te promettre mieux pour le moment.

Philippe aimait Caroline pour sa vitalité, son sens de l'humour, son intelligence et sa façon de dédramatiser les situations les plus complexes. Or, depuis le début de l'automne, son attitude avait changé; elle ne voulait plus le partager avec une autre.

* * *

Avant de retourner à Montréal et, surtout, pour récupérer la situation, Philippe lui proposa une balade dans Saint-Sauveur. Il était seize heures, le soleil glissait doucement derrière le domaine du Mont de la

Marquise. Malgré leur discussion houleuse, Caroline accepta l'offre en pensant qu'il serait agréable de se promener main dans la main.

Une fois bien vêtus, ils se dirigèrent vers le village. L'atmosphère des fêtes était déjà palpable en cette mi-décembre. Les habitants, presque sans exception, avaient décoré maisons et commerces ; les ampoules illuminaient les rues au point de rendre inutiles les réverbères.

De petits flocons de neige virevoltaient autour d'eux pendant qu'ils marchaient silencieusement. Philippe se sentait prisonnier dans cette relation tandis que Caroline semblait certaine qu'il était l'homme de sa vie. Douze ans les séparaient ; si elle désirait des enfants, c'était maintenant ou jamais, sinon il serait trop tard.

Philippe pratiquait en gastro-entérologie à Sainte-Famille depuis 1986. Après avoir terminé sa médecine, il avait opté pour cette spécialité, contrairement à son grand-père et à son père, chirurgiens de carrière.

Lorsque Philippe avait fait part à son père de son désir de devenir gastro-entérologue, celui-ci n'avait pu que cacher sa déception. Il aurait tant souhaité appartenir à la première famille de médecins de Sainte-Famille à poursuivre la tradition du Memorial Hospital.

En effet, depuis près de quarante ans, ce centre hospitalier anglophone avait vu évoluer dans ses murs la famille Flemings, chirurgiens de père en fils. Cependant, âgé, le docteur St-Laurent avait respecté le choix de son fils, car la médecine ne devait pas être une question de tradition mais de vocation.

La réputation de Philippe n'était plus à faire ; il était apprécié, voire adulé par l'ensemble de ses collègues et du personnel de l'hôpital. Il n'hésitait pas à répondre à un appel téléphonique nocturne si le résident de garde éprouvait le besoin de recourir à ses services. Il faisait partie des médecins spécialistes que la notoriété n'avait pas rendus prétentieux. Pour lui, sa deuxième maison était tout simplement Sainte-Famille.

Philippe venait à peine de célébrer son quarante-deuxième anniversaire et vivait une sérieuse remise en question. Malgré son aventure avec son infirmière, il avait réussi à n'éveiller aucun soupçon ni chez Claire ni dans son entourage. À un point tel que plusieurs enviaient la solidité du couple.

À part Claire et ses trois enfants, il n'avait plus de famille; ses deux sœurs, célibataires, s'étaient tuées huit ans auparavant dans un accident d'automobile sur la route de Málaga, en Espagne.

Après cet accident, son père avait sombré dans une grave dépression et était décédé quelques mois plus tard. Pour lui, c'en était trop : une suite d'injustices s'étaient produites dans sa vie. Sa femme Lucette était morte en donnant naissance à Philippe et, plusieurs années après, c'était au tour de ses deux filles de périr ensemble.

Dernier survivant de la famille, Philippe avait hérité d'une très grande fortune.

* * *

Philippe et Caroline passèrent devant la mairie de Saint-Sauveur-des-Monts pour atteindre la rue Principale.

Caroline se tourna vers Philippe.

– À quoi penses-tu?

Il soupira longuement et reprit leur inévitable sujet de discussion.

– Je me sens oppressé! J'aime t'avoir dans ma vie; je ne veux pas te perdre mais, en même temps, j'ai des obligations.

Il s'arrêta, la prit par la taille et l'embrassa. Puis, doucement, il la regarda amoureusement tout en lui lissant les cheveux.

– Sois patiente, ma chérie. Je te promets que la nouvelle année sera celle de tes attentes.

Philippe lui apparut si sincère que Caroline ressentit un bonheur indescriptible. Pour une rare fois, il semblait prêt à revoir sa position.

Elle lui prit la main et ils poursuivirent leur route jusqu'à *La Gourmandise Bretonne*. Soudain, Philippe consulta sa montre. Dix-sept heures. S'il voulait être à l'hôpital pour la réunion de l'exécutif du CMDP, deux heures plus tard, ils devaient partir dans les trente prochaines minutes. Ils revinrent sur leurs pas, au son des airs de Noël diffusés par des haut-parleurs installés çà et là dans la rue.

De retour au chalet, ils rangèrent rapidement le salon et partirent vers Montréal.

* * *

Après avoir déposé Caroline à sa voiture, Philippe se dirigea vers l'hôpital. La rencontre se tiendrait à la salle Jean-Eudes dans moins de quarante minutes.

Il y avait un seul point à l'ordre du jour : définir la stratégie pour dégager définitivement Sainte-Famille de l'impasse. Après l'assemblée houleuse de la veille, Philippe avait exigé la tenue d'une réunion extraordinaire de l'exécutif du CMDP. La situation devenait urgente ; malgré une loi qui les en empêchait, les médecins de l'hôpital menaçaient de démissionner en bloc si le ministère de la Santé et des Services sociaux obligeait Sainte-Famille à fusionner avec deux autres centres hospitaliers du territoire.

S'ils passaient à l'action, ou si le ministère de la Santé intégrait de force cet établissement dans le CSUGM, Sainte-Famille serait irrémédiablement en péril.

CHAPITRE II

La réunion du CMDP

Philippe arriva en trombe à la salle Jean-Eudes où l'attendaient la majorité des membres de l'exécutif. Il s'installa au bout de la table, après avoir pris au passage quelques quartiers de sandwich et des crudités. Madame Cossette, sa secrétaire, s'installa à ses côtés.

– Bonsoir, vous allez bien? demanda Philippe, en les regardant un à un.

– Ça va comme c'est mené! répondit Paul Martineau, son vice-président.

– Bon. Y a-t-il du nouveau depuis hier?

Paul prit la parole.

– Non, je crois que tu as réussi à calmer les esprits, mais c'est évident que les médecins ont atteint leur limite. Tu l'as vu comme nous, ils ne veulent absolument rien savoir de cette fusion. Il va falloir prendre les grands moyens pour arriver à nos fins sinon le pire est à venir. S'ils mettent leur plan à exécution, nous allons être dans la merde. Crois-moi.

Paul regarda l'ensemble des membres, puis se tourna à nouveau vers Philippe :

– Allons-nous devoir contourner la direction générale et la Régie régionale pour parler au Ministère? Je pense que nous en sommes rendus là, mon vieux!

– Pour avoir atteint leurs limites, ils les ont effectivement atteintes. Je ne les ai jamais vus dans un tel état, ajouta Philippe. Quand j'ai entendu Létourneau réagir de la sorte, lui, toujours calme, j'avoue que j'ai compris que nous avions une bombe entre les mains. Pis Filion! Y'é fou pas à peu près, celui-là!

– Le pire, c'est que personne dans la direction ne nous appuie ouvertement dans ce maudit dossier, renchérit Paul. Tu le sais aussi bien que nous, Pierre de Bellefeuille n'a pas les couilles pour nous défendre. À part son titre de DSP, il ne fait absolument rien pour nous aider. Et le directeur général? Je crois sincèrement qu'il est dépassé par les événements.

– Une chance qu'il est en congrès à Québec, ajouta Philippe en souriant. Sinon, tu ne pourrais pas t'exprimer ainsi!

– Ouais, t'as bien raison, répondit Paul en grimaçant.

Philippe reprit :

– Avant d'aller plus loin, je tiens à vous remercier de vous être libérés ce soir. Comme je vous l'ai mentionné hier, mon rôle est devenu extrêmement délicat. Je suis censé, avec votre aide, défendre les intérêts de tous les médecins du CSUGM. Ai-je besoin de vous rappeler que nous transgressons les règles en ce moment? Par contre, nous avons la chance d'être, dans l'exécutif, majoritairement des médecins de Sainte-Famille, puisque les deux autres sont de Sainte-Anne et de Marie-Reine-de-l'Incarnation.

– Curieusement absents ce soir? nargua Michel Patoine.

Philippe lui fit un clin d'œil.

– C'est un fait, Philippe, il va falloir se montrer prudents, rétorqua Paul.

– Revenons à ta suggestion, Paul. Je suis d'accord avec l'idée de monter aux barricades afin de convaincre le Ministère de revoir ses positions dans sa volonté de fusionner à tout prix les trois centres hospitaliers mais...

Philippe regarda les médecins présents.

– ... n'oubliez jamais que ce projet de créer le CSUGM a été entériné par le Ministère. Je ne suis pas certain qu'il soit toujours temps de faire marche arrière.

– Ben, il va falloir, Phil! s'exclama Michel Patoine. C'est bien dommage, mais si le Ministère ne revient pas sur sa décision, sois assuré que tout le monde va démissionner. Ils sont prêts à passer à l'attaque, je t'en passe un papier! Comme tu sais, Filion n'accepte pas du tout le fait de déménager l'unité de traumatologie. Suis-je obligé de te rappeler qu'il est capable de revirer la boîte à l'envers!

– Je suis d'accord, Michel. Mais Filion va devoir se calmer. En ce qui me concerne, je veux que nous nous battions pour conserver l'ensemble des spécialités que nous possédons toujours ici et récupérer celles qui ont a déjà été amalgamées.

Jacques Choquette et Éric Durand entrèrent dans la salle.

– Pardonnez-nous, messieurs! dit Jacques en s'assoyant, visiblement fatigué mais heureux. Notre retard a valu la peine, nous avons réussi à sauver *in extremis* un jeune homme. Un accident de quatre roues encore...

– C'est beau, les gars. Félicitations. En passant, nous venons tout juste de commencer la réunion, informa Philippe.

Philippe baissa la tête et se frotta le front pendant quelques secondes. Il revint à sa position initiale et regarda les six médecins assis autour de lui.

– Bon, si nous voulons éviter des départs massifs vers d'autres centres hospitaliers...

– ... puis aux États-Unis, ajouta Michel Patoine.

– Et aux États-Unis. Nous allons devoir préparer un dossier étoffé pour persuader la ministre de revenir sur sa décision. Maintenant, reste à voir si elle acceptera de nous recevoir, sachant que nous passerons outre à plusieurs paliers administratifs.

Il fit une pause quelques secondes et reprit :

– Notre problème en ce moment, c'est qu'aucun fonctionnaire n'a réussi à lui monter un dossier en bonne et due forme. Comment voulez-vous qu'une ministre, en poste depuis à peine un an, puisse prendre une décision éclairée dans de pareilles circonstances ? Les hauts fonctionnaires sont comme des roseaux ; le vent souffle à gauche, tout le monde penche à gauche, le vent souffle à droite, tout le monde penche à droite. C'est pas compliqué, le réseau est géré par une bande d'incompétents !

– Philippe, fais attention à ton vocabulaire, avertit Paul. Bien que plusieurs d'entre eux méritent ce qualificatif, ne les mettons pas tous dans le même panier ! Puis, tu le sais aussi bien que moi, combien y a-t-il de gens qui dénoncent le projet en ce moment ?

– Beaucoup, sauf que ça n'a absolument rien donné ! Tout le monde parle, mais personne n'agit.

– Je vais te dire une chose. Je crois sincèrement que nous sommes dans une position idéale. La semaine dernière, ce sont les militants du parti qui dénonçaient le gaspillage de l'héritage laissé par le docteur Beauchemin. Les architectes et les urbanistes de ce monde n'arrêtent pas de dénoncer publiquement les décisions du Ministère. Que dire maintenant de la population et de certains membres de notre conseil d'administration ?

Paul regarda ses collègues avant de poursuivre :

– Vous savez autant que moi qu'il y a près de la moitié du conseil qui est en désaccord avec cette fusion ?

– Tu as raison. Le *timing* est excellent ! répliqua Philippe.

– Donc, j'ai une suggestion simple pour vous. Soit que nous fassions front commun avec les autres opposants, soit que nous menions seuls la bataille. Si l'on choisit la deuxième option, mettons sur pied un plan d'action pour rencontrer la ministre au plus sacrant. Elle a été très précise au point de presse, cette semaine; la date d'échéance pour arriver à un consensus entre les trois parties est le premier mars prochain. Sinon, elle imposera ce que les fonctionnaires croient pertinent.

– Je le sais très bien, Paul. Tu n'as pas à me le répéter.

– Qu'en pensez-vous? interrogea Philippe. Le consortium ou la bataille du CMDP uniquement?

– Moi, je suggère que nous fassions cavaliers seuls, dit Éric. Un consortium a été créé il y a une dizaine d'années sous la forme d'une coalition. Qu'est-ce que ça a donné? Pas grand-chose.

– En effet! dit Philippe. La fameuse coalition sur l'avenir de Sainte-Famille. Quelle dépense inutile d'argent et d'énergie! Beaucoup de temps consacré à des audiences publiques avec le résultat que l'on connaît aujourd'hui. Au moins, si nous n'avions pas reculé!

Jacques Choquette prit la parole.

– Moi, je suis d'accord avec la proposition d'Éric. Par contre, il serait intéressant que la ministre accepte de négocier directement avec nous plutôt que de créer un nouveau débat public. Elle n'est pas idiote, cette femme-là. Elle voit bien que le CSUGM ne fonctionne pas!

Jacques retint son souffle.

– De toute façon, arrêtons de nous inquiéter outre mesure. Sainte-Famille n'en est pas à sa première lutte.

– Effectivement! ajouta Philippe.

C'est ainsi que, pendant une vingtaine de minutes, Jacques Choquette entreprit de relater toutes les épreuves que l'hôpital avait subies depuis la fondation de l'établissement en 1728. L'intervention de Choquette faisait l'affaire de Philippe. Cela lui donnerait amplement le temps de réfléchir à la stratégie à adopter afin d'obtenir l'engagement de toute l'équipe.

La majorité des médecins n'étaient pas au fait de l'histoire du centre hospitalier.

– Je tenais à vous relater les diverses tempêtes que Sainte-Famille a réussi à traverser au cours de son existence. Pourquoi ? Parce que des gens croyaient en sa mission hospitalière. Et si nous examinons ce qui se passe actuellement, nous réagissons dans le même sens que nos prédécesseurs : ne rien épargner pour sauver Sainte-Famille.

Tous écoutaient Jacques Choquette qui, vraisemblablement, connaissait l'histoire de cet hôpital dans ses moindres détails. Philippe, quant à lui, n'avait rien à ajouter. Tout avait été dit.

– Excellent tour d'horizon, commenta Philippe.

Jacques, fier comme un paon :

– N'oubliez pas qu'avant de me diriger vers la médecine, j'étudiais en histoire !

– Ça paraît juste un peu ! ajouta Paul, en éclatant de rire.

– Farce à part, Jacques, tes connaissances sur Sainte-Famille vont nous être très utiles pour préparer notre argumentation.

– Il me fera plaisir d'apporter ma contribution. Et n'oublions pas les religieuses. Je suis certain qu'elles se feront un plaisir de nous aider, le cas échéant.

– Tu as raison mais, pour l'instant, j'apprécierais qu'elles restent à l'écart de ce dossier. Elles se sont tellement défendues par le passé, c'est à nous, maintenant, d'assumer cette bataille. Alors, si j'ai bien compris, puisque l'expérience de la coalition sur l'avenir de Sainte-Famille n'a pas aidé tellement la cause et considérant que nous voulons agir dans les plus brefs délais, vous êtes d'accord pour que l'exécutif du CMDP s'engage à défendre ce dossier seul ?

Tous acquiescèrent.

– C'est la meilleure solution, Philippe, dit Paul. Il nous reste seulement à rencontrer la ministre.

Michel Patoine prit la parole.

– J'ai une nouvelle fraîche à vous communiquer.

– Quoi au juste ? demanda Philippe.

– Vers quatorze heures, j'ai appris de source sûre que le Ministère a nommé une sous-ministre aux immobilisations.

– Oui. Puis après ?

– Bien, selon mon contact, la ministre lui confie le dossier du CSUGM.

– Pas une autre fonctionnaire dans le décor ! rétorqua Éric, visiblement décontenancé.

– Paniquez pas ! fit Michel. Je pense qu'elle va nous être utile.

– Tu la connais ? demanda Philippe.

– Non, mais j'en ai entendu parler.

– C'est qui ?

– Marie-France Tousignant.

– Marie-France Tousignant ? répéta Philippe, en se frottant le menton.

Michel Patoine regarda les autres membres.

– Rappelez-vous la crise du verglas en janvier 1998, tous les médias parlaient d'elle. Elle avait réussi à mettre en place les mesures d'urgence en un temps record.

Quelques médecins approuvèrent.

– C'était la coordonnatrice des mesures d'urgence chez Hydro-Québec.

– Oui, je me souviens, dit Philippe. Mais quel est le rapport entre le verglas et le ministère de la Santé?

– Comme elle a si bien coordonné les mesures d'urgence lors de cette crise, le ministère de la Sécurité civile l'a embauchée à titre de sous-ministre pour définir les plans de mesures d'urgence de l'ensemble des villes et des municipalités du Québec.

– Bien content pour elle, soupira Philippe, tout en regardant sa secrétaire.

Michel Patoine continua.

– Dans ce dossier, elle a réussi une fois de plus à se démarquer, au dire de mon informateur.

– Quel est le rapport avec le ministère de la Santé? redemanda Philippe, visiblement agacé.

– Comme elle a réussi à mettre de l'ordre rapidement dans les dossiers de ce Ministère, la ministre de la Santé lui a confié le dossier du CSUGM parce que la fusion tarde à se réaliser.

– Si je comprends bien, elle est bonne?

– On mentionne que c'est une femme décidée. Elle est dans la jeune quarantaine, sûre d'elle, reconnue comme ayant une main de fer dans un gant de fer.

– Un gant de velours! argumenta Éric.

– Non de fer! s'obstina Michel. On dit aussi qu'elle est extrêmement organisée, autoritaire et tranchante.

– Donc, ça peut être positif comme négatif? lança Philippe.

– En ce qui me concerne, je n'ai pas hâte de lui serrer la main! ajouta Paul, pour tempérer l'atmosphère.

– Elle est en poste depuis quand, Michel? demanda Philippe, sérieux.

– Depuis le 22 novembre dernier.

– Seulement trois semaines!

– Oui, Monsieur. Alors, si nous voulons contacter le Ministère directement, c'est la personne à voir dans les plus brefs délais.

– Si c'est la nouvelle personne responsable de ce dossier, pourquoi pas, lança Philippe. Au point où nous en sommes, nous n'avons plus rien à perdre. La seule chose que je souhaite, c'est qu'elle n'ait pas trop d'idées préconçues quant à ce projet.

– C'est peut-être notre seule porte de sortie, s'exclama Paul.

– En effet, dit Philippe.

* * *

Claire avait libéré Lise, la gouvernante des enfants, pour la soirée. Philippe et Claire l'adoraient. Elle s'occupait merveilleusement bien de leur progéniture, Geneviève, Pierre-Olivier et Charles-Antoine. Cette blonde aux cheveux courts, d'une cinquantaine d'années, de petite taille et légèrement grassouillette, était toujours de bonne humeur.

Lise était entrée au service des St-Laurent alors que Charles-Antoine avait à peine un an; Claire avait décidé de retourner travailler à Sainte-Famille à titre de chef des archives médicales. Geneviève avait huit ans et Pierre-Olivier, six ans.

Claire était couchée sur le canapé en cuir, dans le vivoir attenant à leur chambre. Le couple s'était procuré cette somptueuse maison de Saint-Lambert, quelques mois avant la naissance de Charles-Antoine. La maison, bien que fort chère tant à l'entretien qu'à l'achat, et beaucoup trop grande pour six personnes, leur convenait tout à fait.

Jamais Claire n'oublierait l'unique fois où ils l'avaient visitée; une séance qui s'était prolongée au-delà de quatre heures. Philippe, bien qu'habitué à vivre dans l'aisance, avait été subjugué par les dimensions de cette demeure. Claire, pour sa part, y voyait l'occasion de vivre en châtelaine.

Il était vingt-trois heures trente, l'émission que Claire écoutait venait tout juste de se terminer. Lise était sur le point de rentrer, Philippe était toujours à Sainte-Famille.

Claire s'interrogea à propos de la réunion de l'exécutif du CMDP. Il n'était pas évident d'unir la destinée de trois centres hospitaliers. Depuis des années, voire plus d'un siècle, une compétition féroce régnait entre ces trois établissements de santé, mais encore plus entre Sainte-Famille et les deux autres hôpitaux. Leurs cultures médicales respectives étaient à des années-lumière l'une de l'autre. De toute façon, comment un projet pareil pouvait-il être viable ou même envisageable? pensa-t-elle.

En son for intérieur, Claire épaulait son mari. Elle l'admirait pour ses convictions et l'amour qu'il portait à ce grand établissement de santé. Par contre, dès le début de son combat, Claire avait décidé de ne pas intervenir ouvertement, se sentant prise entre l'arbre et l'écorce. Elle occupait un poste de gestion dans l'hôpital et son frère était le directeur des services professionnels. Souhaitant demeurer neutre, elle avait décidé de ne faire aucun commentaire public, même si elle était la femme du président du CMDP.

Elle comprenait pourquoi Philippe tenait tant à sauver Sainte-Famille. Cette institution avait permis à son grand-père, ainsi qu'à son père, de vivre des heures de gloire en qualité de médecins. Puis, dans sa jeune adolescence, Philippe allait régulièrement à l'hôpital leur rendre visite. Demeurant à Outremont, il prenait l'autobus pour y aller.

À cette époque, les religieuses étaient encore très présentes dans la gestion hospitalière. Sachant qu'il avait perdu sa mère très jeune et considérant la notoriété des docteurs St-Laurent dans la maison, les sœurs prodiguaient au jeune Philippe une affection presque maternelle.

Le combat auquel se vouait Philippe était viscéral. Sainte-Famille avait tellement apporté de joie et de bonheur à sa famille depuis trois générations qu'il était inconcevable de voir disparaître ce grand établissement de santé à la suite de décisions absurdes provenant d'un gouvernement mal informé sur le système de santé.

À titre de président du CMDP, réussirait-il à convaincre le ministère de la Santé et des Services sociaux d'exclure Sainte-Famille de la fusion et à faire comprendre le bon sens aux hauts fonctionnaires, une fois pour toutes?

La partie n'était pas gagnée d'avance. Malgré tous les opposants au projet, personne n'avait réussi à leur faire changer d'idée.

Philippe n'était toujours pas rentré à la maison. Claire ferma le téléviseur, se coucha et s'endormit aussitôt.

* * *

Il était minuit. La réunion de l'exécutif du CMDP tirait à sa fin.

Philippe observa ses collègues.

– Si je comprends bien, vous me donnez le mandat d'aller rencontrer la nouvelle sous-ministre aux immobilisations?

– Qui de plus qualifié que toi pour la rencontrer, fit Michel Patoine. Tu connais le dossier de Sainte-Famille par cœur, et tu es le président du CMDP!

Philippe regarda Paul.

– Qu'en penses-tu?

Paul fit rapidement un tour d'horizon et se tourna vers Philippe.

– Philippe, j'appuie Michel. Tu es la personne toute désignée pour régler ce problème-là. Nous venons de sortir les principaux arguments à présenter à la sous-ministre. Si, dans l'intervalle, tu a besoin de notre aide, fais-nous signe. Plus nous serons nombreux à participer, plus ce dossier sera étoffé.

– Ça me convient parfaitement. Je vous remercie de votre entière confiance.

Philippe se tut un instant, avant de reprendre :

– J'espère seulement qu'elle acceptera de me rencontrer.

– Je ne suis pas inquiet, s'exclama Paul. Te connaissant, tu vas réussir !

– Attends une minute. N'oublie pas une chose, Paul. Les fonctionnaires aiment bien le respect de la hiérarchie et surtout, ils sont habitués à voir arriver les détracteurs en comité. Déjà, d'obtenir un rendez-vous va être un exploit. Si j'arrive seul en plus... je suis mieux d'être préparé, sinon je vais revenir avec mon petit bonheur...

– Ne sois pas défaitiste, Philippe ! Le fait que tu arrives seul au Ministère va probablement la dérouter. L'important, c'est d'avoir les bons arguments pour qu'elle comprenne qu'ils font fausse route.

– Et n'oublie pas, Phil, nous avons des appuis sur lesquels nous pouvons compter, ajouta Michel.

– Laissez-moi le temps de digérer tout ça. L'essentiel, c'est de vous savoir disponibles dans les prochaines semaines. Je vais sûrement avoir besoin de votre aide.

Philippe se leva pour se dégourdir les jambes et se dirigea vers la fenêtre.

– En tout cas, si nous réussissons à gagner Marie-France Tousignant à notre cause, fiez-vous à moi que je vais faire tout un *party* !

Il revint vers la table de conférence.

– Ce dossier-là traîne depuis trop longtemps. En 1995, le Ministère voulait déménager Sainte-Famille à l'île Notre-Dame puis après, ça a été la saga que nous connaissons !

Philippe regarda sa secrétaire.

– Madame Cossette, pourriez-vous nous répéter tous les arguments soulevés ce soir ?

Sa secrétaire en fit l'énumération. Rien ne manquait. Elle communiquerait dès le lendemain matin avec le bureau de la sous-ministre pour obtenir un rendez-vous à Philippe, et un communiqué suivrait pour informer les médecins que l'exécutif du CMDP avait la situation en main.

Avant de conclure la rencontre, Philippe avisa ses confrères d'être discrets sur la teneur de leurs délibérations. Il devait être leur seul porte-parole. Ainsi, on éviterait toute confusion dans l'hôpital. Il demanda à Michel Patoine de garder un œil sur Filion. Ce médecin, reconnu pour ses incartades publiques quelquefois flamboyantes, ne devait pas faire échouer le projet. Patoine le surveillerait.

Cinq minutes plus tard, tous quittèrent la salle Jean-Eudes, en souhaitant que cette croisade, avec la nouvelle fonctionnaire, conduise au succès escompté.

* * *

Philippe fut le dernier à partir, complètement exténué par sa journée. En marchant dans le corridor Maisonneuve, il se rendit compte qu'il n'avait toujours pas inauguré officiellement sa nouvelle table d'endoscopie. Il pensa à Caroline...

Il s'arrêta au service des communications pour vérifier s'il avait des messages. Et, il salua au passage le gardien assis au poste de sécurité, à l'entrée principale.

Il monta dans sa Mercedes et fila tout droit en direction de Saint-Lambert.

* * *

En arrivant chez lui, Philippe se rendit à la salle de bain et prit une douche. En se voyant dans le miroir, il remarqua une égratignure sur son omoplate. Fidèle à son habitude, Caroline avait été une vraie tigresse au cours de l'après-midi. « Elle est déchaînée cette fille-là ! » pensa-t-il, le sourire discret.

Il se glissa doucement sous les couvertures pour ne pas réveiller Claire. Il l'observa ; elle semblait si sereine. À l'évidence, elle ne se doutait de rien et il se questionna sur les motifs qui l'avaient conduit vers cette infidélité. Elle ne méritait pas pareille trahison. Elle excellait dans son rôle de mère, d'épouse, et sur le plan professionnel ; son plus grand désir était de voir les archivistes médicales prendre leur place dans le secteur de la santé.

Bien qu'il admirât ses convictions, la magie du début n'y était plus. Surtout depuis la naissance de Charles-Antoine.

Vers une heure trente, incapable de dormir, il descendit à la cuisine boire un verre de lait chaud. Le savourant, il lut les messages récupérés, un peu plus tôt, aux communications. Trois d'entre eux provenaient de Caroline. Elle lui avait téléphoné à vingt heures trente, à vingt-deux heures, et à minuit.

Elle ne dort peut-être pas encore, jugea-t-il en examinant l'heure affichée au panneau de contrôle d'un des deux fours encastrés. Il prit le téléphone, composa son numéro, lorsqu'il fut dérangé par un bruit : Claire s'était levée pour aller aux toilettes. Il raccrocha immédiatement, retourna dans la chambre et se coucha aussitôt.

Lorsque Claire revint au lit, il dormait déjà.

CHAPITRE III

Une invitation particulière

Une légère sonnerie se fit entendre. « Déjà six heures ! » marmonna Philippe après avoir péniblement entrouvert un œil. Il s'étira, se leva et se dirigea vers la salle de bains.

Claire commençait à s'éveiller lorsqu'elle entendit le bruit de la douche. Elle se leva à son tour et le rejoignit.

Sur la pointe des pieds, elle ouvrit doucement la porte de verre, entra dans la douche puis, s'apprêtant à lui embrasser le dos, elle constata la présence de l'égratignure.

– Oh là là! Veux-tu bien me dire ce que tu as dans le dos ?

– Quoi, au juste ? répondit-il, ne saisissant pas où elle voulait en venir.

– Sur ton omoplate, chéri. Tu as une de ces éraflures !

– Vraiment ? Je n'ai pas remarqué, mentit-il.

– Est-ce parce que tu as été trop brusque avec un de tes patients qu'il t'a griffé de la sorte ou plutôt parce qu'une patiente désirait un morceau de toi, dit-elle, coquine.

Philippe se tourna vers elle et l'étreignit. Incapable de résister, Claire l'embrassa, laissant glisser ses mains vers ses reins. L'eau ruisselait sur leurs corps, rendant envoûtante cette proximité. Philippe, ne pouvant se contenir plus longtemps, se dégagea d'elle et la plaça doucement contre le mur de la douche. L'excitation montait en eux.

Il était rare qu'ils fassent l'amour pendant des heures : le temps leur manquait. Par contre, ils avaient ce contact régulier leur rappelant à quel point ils s'aimaient.

Pressentant qu'ils allaient jouir simultanément, ils s'abandonnèrent. Quelques secondes plus tard, ils eurent un orgasme bref et violent.

Ils s'embrassèrent encore quelques minutes puis se consacrèrent à leur toilette respective.

* * *

Lise, fidèle au poste, se versait une tasse de café lorsque Philippe apparut dans la cuisine.

– Bonjour, docteur St-Laurent! Désirez-vous un café?

– Oui, avec deux œufs tournés et deux rôties!

Estomaquée, Lise lui lança :

– Petit péché, va-t-il y avoir une tempête de neige aujourd'hui? Habituellement, la semaine, vous ne déjeunez pas à la maison!

– Un petit changement ce matin, lança-t-il sans hésitation.

Philippe déjeunait toujours à la cafétéria de l'hôpital, endroit de rassemblement par excellence pour l'équipe médicale. Puisque la majorité des gastroentérologues y déjeunaient aussi, ils en profitaient pour faire le point sur les sujets les concernant. Parfois, certains résidents posaient des questions ou demandaient une opinion médicale sur un cas. À d'autres occasions, les spécialistes se consultaient à propos d'un patient, et ce, au grand dam de l'archiviste qu'était Claire.

Tous les deux ans, les archivistes médicales organisaient des campagnes de sensibilisation à la confidentialité auprès du personnel des établissements de santé, les renseignements tant médicaux que personnels devant faire l'objet d'une totale discrétion. Les cas ne devaient se discuter ni dans les ascenseurs, ni à la cafétéria, ni dans le corridor. Toutefois, entre théorie et pratique, il y avait un monde. L'habitude de parler dans les lieux publics était bien ancrée. Même le mari de Claire avait de la difficulté à se soumettre à cette discipline.

Lise servit Philippe. Il devait faire vite ; son premier rendez-vous était à huit heures. Il rencontrait Gaston Champagne, président d'une compagnie de yogourt située dans le parc industriel de Longueuil. Si lui avait besoin d'une consultation en gastro-entérologie, Philippe avait besoin d'argent pour son fonds de recherche afin de financer une deuxième salle d'endoscopie. Ami de la famille, Monsieur Champagne était aussi un généreux donateur.

Monsieur Champagne et le père de Philippe avaient effectué leurs études pré-universitaires au collège Brébeuf à Montréal. Par la suite, bien qu'ils aient choisi des carrières différentes, ils étaient demeurés très près l'un de l'autre.

Cet homme corpulent de soixante-six ans ne passait pas inaperçu. Mesurant un mètre quatre-vingt-dix, la chevelure blanche, le teint cuivré, il ne faisait pas son âge. Marié depuis quarante-deux ans à une femme qu'il adorait, il avait tout misé sur sa carrière, n'ayant jamais eu la joie d'avoir des enfants.

Il appréciait beaucoup Philippe, surtout pour son professionnalisme et son côté businessman. C'était inhabituel de voir des médecins exceller dans le monde

des affaires. Mais Philippe aimait le risque; il en désirait toujours plus. Outre le règlement du dossier de
Sainte-Famille, Philippe souhaitait doter le service de
gastro-entérologie de salles d'endoscopie équipées d'ins-
truments médicaux à la fine pointe de la technologie.
Ainsi, les médecins prodigueraient de meilleurs soins
aux patients et les résidents aspireraient à suivre leur
formation à Sainte-Famille, d'où un plus grand rayon-
nement de l'établissement dans la communauté médicale.

Avec les années, les deux hommes réalisèrent l'impact que pourrait atteindre un projet de partenariat
entre eux. Depuis plusieurs années, les nutritionnistes
vantaient les vertus du yogourt, comme favorisant le
renouvellement de la flore intestinale. Un stratagème
leur vint en tête : Philippe prônerait la marque Yogourtrel
auprès de ses patients et, argent faisant, l'entreprise
verserait un pourcentage des profits des ventes dans le
fonds de gastro-entérologie.

En une vingtaine d'années, plusieurs entreprises
privées avaient participé à ce genre d'entente. Parce que
les budgets d'immobilisations reliés aux équipements
médicaux des centres hospitaliers étaient presque inexis-
tants, les médecins devaient user de perspicacité et de
débrouillardise pour trouver des solutions alternatives
s'ils ne voulaient pas dépendre uniquement des dons
provenant des Fondations hospitalières.

* * *

Philippe terminait son petit déjeuner au moment
où Geneviève, les yeux entrouverts, entra dans la cuisine.

– Bonjour, ma chérie!

– Bonjour, papa! Tu pars déjà? dit-elle en bâillant.

– Oui, mon poussin. J'ai un patient à huit heures.

– Vas-tu être à la maison ce soir ? demanda-t-elle, en faisant la moue.

Philippe la prit dans ses bras et la regarda droit dans les yeux.

– Je te promets que je serai à la maison pour le souper.

– Tu me le jures, papa ?

– Je te le jure. Juré, crrr...

– Non, ne crache pas ! dit-elle en riant.

Il l'embrassa et se dirigea vers le garage. Claire l'accompagna.

Les deux plus jeunes dormaient encore.

Regardant Claire, il ajouta :

– Je vais être à la maison pour le souper. Promis.

– En passant, dit Claire, comment s'est déroulée la réunion d'hier soir ?

– Je n'ai pas le temps. Je t'en reparlerai ce soir... Pour faire vite, disons que nous avons des pistes de solution.

– Tant mieux !

Il ferma la portière de sa voiture et sortit du garage. Claire retourna à la cuisine :

– As-tu faim, ma puce ? demanda-t-elle à sa fille.

Elle lui servit un verre de jus d'orange. Au même moment, des pleurs à la fois aigus et intenses se firent entendre ; Charles-Antoine venait de se réveiller. Claire se levait pour aller dans la chambre lorsque Lise s'interposa.

– Laissez faire, Claire. Je vais le chercher, je dois réveiller Pierre-Olivier.

– Je te remercie, Lise, apprécia Claire.

Elle revint vers la table lorsqu'elle aperçut, sur le comptoir, quelques feuillets de message de l'hôpital. Elle les regarda rapidement et en vit trois de Caroline. « Probablement urgent », jugea-t-elle, en voyant les heures où elle avait téléphoné. Elle décida d'appeler son mari dans la voiture.

– Philippe St-Laurent, répondit-il.

– Chéri. Tu as laissé une dizaine de messages sur le comptoir de la cuisine. Veux-tu que je les jette ou que je les apporte à l'hôpital ?

Philippe eut un frisson en se rappelant les trois messages de Caroline.

– Apporte-les-moi à mon bureau, si tu as le temps. Je ferai mes retours d'appel vers neuf heures trente, réussit-il à lui dire.

– Parfait !

Avant de raccrocher, elle ajouta :

– Tu en as trois de Caroline, ton infirmière. Lorsque tu arriveras à l'hôpital, tu pourras au moins régler ces appels-là.

– Merci, chérie.

Philippe raccrocha, le cœur battant. Combien de temps durerait encore ce manège, pensa-t-il. Et cette sensation d'oppression qui refaisait surface au moindre stress.

Sur le pont Victoria, il regarda l'heure. Sept heures vingt-cinq. La circulation était dense, même si la majorité des étudiants des cégeps et des universités se trouvaient en période d'examens.

Philippe rumina de sombres pensées. Pourquoi cette vie parallèle ? En plus du dossier de Sainte-Famille sur les bras, il n'avait pas besoin d'un divorce. Pourquoi s'était-il aventuré dans une pareille histoire ? Au début, Caroline acceptait les rencontres occasionnelles. Pourquoi, aujourd'hui, cette situation devrait-elle changer ? Il aimait bien cette relation clandestine, mais pas au point de tout bouleverser. Puis, de mentir constamment, d'être perpétuellement sur le qui-vive... Il en avait assez de n'être heureux nulle part. Lorsqu'il était avec Claire, il pensait à Caroline. Avec Caroline, il pensait à Claire et aux enfants.

À l'angle des rues Peel et Sherbrooke, il tourna à droite et se dirigea vers la rue Berri. « Quelle décision dois-je prendre? Demeurer avec Claire et quitter Caroline, ou vice-versa? Et dire que je conseille aux gens d'être assez matures pour choisir les solutions qui s'imposent! Je ne suis même pas capable de régler mes propres affaires », lança-t-il à voix haute.

Arrivé à l'hôpital, il gara sa voiture dans le stationnement du pavillon De Maisonneuve, puis monta directement à son bureau.

* * *

Caroline s'affairait à prendre la tension artérielle du patient lorsque Philippe fit irruption dans son bureau.

– Bonjour, Monsieur Champagne! Comment allez-vous?

– Très bien, mon garçon. Avec cette superdiète, ma digestion s'est passablement améliorée! Je n'ai presque plus de problèmes.

– Et au bureau? ajouta Philippe, pendant que Caroline quittait la pièce.

– Ça va vite en pas pour rire! Je viens tout juste de terminer une restructuration majeure au sein de la direction suite à l'acquisition de Olisim au mois de septembre. J'ai aboli une dizaine de postes et, en revanche, je me suis adjoint deux vice-présidents; un pour la commercialisation des produits en Europe et l'autre pour la direction des finances. Maintenant, c'est à eux de jouer. Ils ont du pain sur la planche, crois-moi!

– En tout cas, dans le privé, ça niaise pas comme dans le public. La première chose qu'on sait, un projet de fusion ou d'acquisition entre deux compagnies est rendu public, le temps de faire monter les actions, pour apprendre le lendemain que l'achat est concrétisé.

Monsieur Champagne se mit à rire.

– C'est vrai, Philippe, c'est souvent ainsi que ça se passe. Disons que le privé, c'est le privé; un monde de requins et de profits. L'adage « Que le meilleur gagne » est malheureusement la réalité, même si de nombreux travailleurs en sont affectés. Mais nous n'avons plus le choix. Avec la mondialisation des marchés, si les entreprises privées ne procèdent pas de cette façon, elles ne survivront tout simplement pas.

Philippe l'admirait.

Monsieur Champagne regarda Philippe.

– Où en êtes-vous avec la fusion de Sainte-Famille? Le problème va-t-il se régler un jour?

Philippe s'étira.

– Votre question tombe à point. Hier soir, l'exécutif du CMDP a tenu une réunion extraordinaire à ce sujet. Si je vous mentionne que quatre-vingt-quinze pour cent des médecins de Sainte-Famille ne veulent absolument rien savoir de la fusion avec les deux autres hôpitaux, cela vous surprendra-t-il? Mardi soir, ils nous ont menacés de démissionner en bloc si l'exécutif du CMDP n'intervient pas pour faire annuler ce projet. Ça ne sert à rien, la chimie ne se fait pas.

– Je ne suis pas étonné du tout, et même surpris qu'ils n'aient pas menacé de démissionner avant ça. Écoute, cela n'a aucun sens. Voir si Sainte-Famille peut fonctionner avec Marie-Reine-de-l'Incarnation! Peut-être Marie-Reine-de-l'Incarnation avec Sainte-Anne, mais jamais avec Sainte-Famille. Qu'avez-vous l'intention de faire?

– Bien, j'ai appris hier soir que la ministre de la Santé a nommé une sous-ministre aux immobilisations qui aura pour mandat de finaliser l'intégration des trois établissements de santé. Je ne sais pas encore de quel délai elle dispose pour arriver à ses fins, mais je ne veux pas perdre de temps. Je vais tenter d'obtenir une rencontre le plus tôt possible afin de lui faire comprendre que son Ministère s'apprête à commettre une erreur monumentale à vouloir persévérer dans cette voie.

– Tu ne crois pas qu'il soit trop tard ?

– Possiblement, mais nous n'avons rien à perdre. Le Ministère devra bien admettre que cette fusion ne verra jamais le jour. Ce mariage forcé est voué à l'échec malgré la meilleure volonté du monde. Tout nous sépare l'un de l'autre : nos emplacements sur le territoire, nos spécialités médicales, notre culture interne, nos centres de recherche. Que dire maintenant des impacts sur la population desservie ? C'est énorme.

– Puis de votre histoire, Philippe ! Aïe ! Il va falloir qu'il y ait du monde qui se réveille au gouvernement ! Sont-ils conscients qu'ils s'apprêtent à détruire la raison d'être d'un établissement de santé presque trois fois centenaire ?

– Je me questionne, moi aussi. Pour cette raison, j'ai décidé de m'engager professionnellement et personnellement dans ce dossier. Je ne veux pas, un jour, me reprocher de n'avoir rien fait pour préserver cet hôpital.

– Connais-tu la sous-ministre ?

– Non, pas du tout. Je sais seulement qu'elle vient du ministère de la Sécurité civile.

Philippe se leva de son fauteuil.

– Voulez-vous bien me dire ce qu'une ancienne sous-ministre de la Sécurité civile réussira à faire dans le milieu de la santé? Des fois, je m'interroge sérieusement sur la réelle volonté du gouvernement à vouloir résoudre les problèmes du réseau. J'espère seulement qu'elle est aussi compétente que l'on prétend. Il nous faut régler ce problème une fois pour toutes.

– Quand prévois-tu la rencontrer ?

– Ma secrétaire va tenter de rejoindre son bureau ce matin pour obtenir un rendez-vous. Bien que je souhaite la voir le plus tôt possible, je crains que ce ne soit avant les fêtes. L'idéal serait dans la première semaine de janvier, ça me donnerait juste assez de temps pour bien documenter mon dossier. Et va-t-elle accepter de me rencontrer?

– Bien je te le souhaite, mon garçon. Tu t'apprêtes à passer par-dessus beaucoup de monde.

– Nous n'avons plus le choix. La direction générale ne tangue pas de notre côté puis... ne parlons pas de la Régie régionale; les bureaucrates ne dirigent plus grand-chose. Les décisions, c'est à Québec qu'elles se prennent, plus vraiment dans les régies. Ah! puis de toute façon, je me demande bien à quoi elles servent...

– Je suis sûr que tu vas réussir. Il le faut.

– C'est ce que je souhaite aussi, répliqua-t-il.

– Changement de sujet, Philippe. Êtes-vous libres, Claire et toi, pour un souper à la maison le 24 décembre? Ma femme et moi organisons une petite fête intime. Nous ne serions que six couples.

Philippe trouva l'idée excellente, jugeant qu'il ne serait pas obligé de subir la présence de son beau-frère une soirée entière.

– Je crois que oui. Laissez-moi consulter Claire.

– Fantastique! lança-t-il.

– Bon, assez parlé de fusion, laissez-moi vous examiner.

* * *

Claire venait à peine d'enlever son manteau quand son adjointe, France Chartrand, entra dans son bureau.

– Il paraît, qu'hier soir, l'exécutif du CMDP a décidé de boycotter la fusion.

Claire dévisagea France. Elle détestait toute forme de commérage. Venant d'une archiviste médicale, c'était, pour elle, d'autant plus inacceptable.

– France! Qu'est-ce que tu me racontes?

– Tu ne le sais pas? Voyons, Claire, ton mari est le président du CMDP.

– Pauvre fille. Penses-tu que les seuls sujets de conversation, chez nous, tournent autour de l'hôpital? Oui, il est le président du CMDP et occupé à travailler dans ce dossier-là, mais de mon côté, je suis aussi débordée au point où je n'ai pas le temps d'écouter tous ces potins!

France baissa la tête.

– Est-ce que ça va, Claire? dit-elle, prête à recevoir les confidences de sa patronne.

– Je vais particulièrement bien, France, mais tu sais comme je déteste les ragots. Attendons de lire le communiqué officiel. Après nous verrons.

France ajouta :

– Claire, c'est pour cette raison que je te consulte. Tu es la mieux placée pour me dire si c'est vrai ou faux, ce que l'on raconte. Tu es mariée avec le président du CMDP et tu es la sœur du DSP! Plus branchée que ça, tu meurs!

Claire s'installa dans son fauteuil, puis effleura le bout de son nez avec son index.

– Tu es une excellente adjointe, France, mais c'est incroyable comme tu peux être curieuse. Ai-je besoin de te rappeler le thème de la campagne de confidentialité, cette année : «Le bavardage, SAM dérange!»

– Non, non! répondit-elle.

– Alors laisse-moi travailler, à moins que tu aies quelque chose de plus intéressant à me dire.

– Pas vraiment.

France quitta le bureau de Claire, décontenancée. Encore une fois, elle avait raté l'opportunité de lui soutirer la moindre confidence.

Claire se rendit au troisième étage du pavillon Cartier. Elle y croisa Caroline qui sortait de la salle

d'endoscopie ; sa patiente était prête à subir la colo-
scopie prévue à neuf heures et quart.

– Bonjour, Claire, ça va bien ? dit-elle, le regard
fuyant.

– Oui, merci, Caroline. Et toi ?

– Pas si mal.

Claire s'avança vers le bureau de Philippe et se
retourna.

– Caroline ?

– Oui, Claire.

– Est-ce que Philippe t'a parlé ce matin à propos
des trois messages d'hier soir ?

Caroline, surprise que Claire soit au courant, répondit :

– Les messages...?

– Bien, ceux-ci ! répondit-elle en les lui remettant.

– Ah oui ! J'avais oublié, son cœur battant à toute
allure.

– Philippe les avait laissés à la maison, ajouta
Claire.

Caroline sentit la sueur perler à son front. Pâle,
bien que soulagée, elle se demandait si Claire était au
courant de leur relation.

Soudain, Claire constata l'inconfort de Caroline.

– Caroline, est-ce que tu te sens bien ?

– Oui, ça va ! dit-elle.

– Tu es sûre ?

– Mes règles viennent à peine de commencer, j'ai
quelques douleurs utérines, mentit-elle.

La porte du bureau de Philippe s'ouvrit entre-
temps.

– Bonne journée, Monsieur Champagne. Je parle
à Claire et je vous confirme notre présence au plus
tard demain en fin de journée.

– Bonne journée à toi, Philippe. Merci pour la consultation.

En se retournant, Philippe vit Claire.

– Claire ! Viens donc saluer Monsieur Champagne.

Claire laissa Caroline pour aller rejoindre son mari.

– Monsieur Champagne nous invite pour le souper de la veille de Noël.

– Comme c'est gentil ! répondit-elle.

Regardant Philippe, elle ajouta :

– As-tu oublié le réveillon chez mon frère ?

– Nous en reparlerons, répliqua-t-il, lui laissant voir que l'invitation ne pouvait être refusée.

Philippe serra la main de Monsieur Champagne. Celui-ci embrassa Claire et les quitta.

– Puis-je entrer ? demanda-t-elle à son mari.

– Seulement trois minutes. Je suis déjà très en retard, répondit-il en la faisant passer devant lui.

Caroline se pointa dans l'embrasure de la porte.

– Docteur St-Laurent ? Votre patiente est prête en salle 4.

Philippe se retourna et lui répondit d'un ton sec :

– J'y serai dans cinq minutes.

– Je veux simplement vous rappeler que la patiente a reçu la prémédication il y a quarante minutes ; il ne faudrait pas tarder.

Claire regarda Philippe droit dans les yeux. Et, pour la première fois, il eut peur qu'elle ait un pressentiment.

– S'il vous plaît, Caroline !

Caroline recula et ferma la porte.

Philippe se dirigea vers sa table de travail et se tourna vers Claire :

– Oui, ma chérie, que puis-je faire pour toi ?

– Voici tes messages. Tu ne la trouves pas collante, celle-là. Elle t'a laissé trois messages hier soir et ne semblait pas s'en souvenir lorsque je lui ai demandé si tu lui en avais parlé ce matin. As-tu une explication à me donner ?

Philippe fit la moue.

– Je ne sais pas quoi te répondre. Ce matin, je suis arrivé tout juste pour la consultation. Je suis entré dans mon bureau sans la voir et tu es arrivée comme Monsieur Champagne s'apprêtait à partir.

– La consultation a été longue ?

– Disons que celle-ci a tourné beaucoup plus autour de la fusion de Sainte-Famille que de sa santé.

– Et pour le souper de la veille de Noël ?

– On s'en reparlera ce soir, si tu n'as pas d'objection.

Philippe se leva, embrassa Claire et lui dit :

– Allez, ouste ! J'ai des interventions à faire ce matin.

Claire sortit et embrassa une dernière fois Philippe devant Caroline qui attendait à l'extérieur de la salle 4.

Il était neuf heures trente. Philippe avait maintenant quinze minutes de retard sur son horaire. Il revêtit des vêtements stériles et s'approcha de Caroline avant d'entrer dans la salle d'endoscopie :

– Que dirais-tu d'une petite soirée d'amoureux, jeudi prochain ? Nous pourrions passer quelques heures ensemble pour fêter Noël ! ajouta-t-il en prenant un ton doux.

Elle le regarda, incapable de placer un mot. Elle n'en revenait pas. Comment pouvait-il lui parler ainsi, quelques minutes après avoir vu sa femme, l'avoir embrassée et semblé si heureux avec elle ? Était-il vraiment celui qu'elle croyait connaître ?

Puis, elle se mit à penser qu'il devait l'aimer s'il lui proposait une telle soirée, sinon pourquoi agirait-il de cette façon ? Instantanément, elle redevint heureuse, même si ce n'était que temporaire. Combien de temps lui faudrait-il pour arriver à ses fins ? Aurait-elle assez de patience ? Sa santé physique et psychologique lui permettrait-elle d'attendre qu'il se décide à quitter Claire ?

Au cours des dernières semaines, elle avait maigri de trois kilos. En six mois, sept kilos. Tôt ou tard, elle aurait une décision à prendre sinon c'est la dépression qui la ravagerait.

CHAPITRE IV

L'ambition dévoilée

Philippe fit deux autres interventions endoscopiques avant le lunch, puis se rendit à la cafétéria vers onze heures quarante-cinq, comme il en avait l'habitude. La majorité de ses collègues du département de gastro-entérologie étaient déjà attablés lorsqu'il prit place.

– Bonjour, messieurs ! dit-il en s'assoyant.

Sans attendre une réponse de leur part, il attaqua son repas. Le docteur Lepage l'interpella sans lui laisser le temps d'avaler sa première bouchée.

– Puis ! Comment s'est déroulée la réunion, hier soir ? Je m'excuse, mais j'étais pris ailleurs.

Philippe fit la sourde oreille et observa ses confrères.

– Au cours de l'après-midi, nous allons émettre un communiqué à ce sujet.

– Prévois-tu de faire une conférence de presse aujourd'hui ? demanda Jean Lepage.

– Non, parce que la situation n'émeut plus personne. L'histoire du CSUGM est devenue une vraie farce dans l'opinion publique. Ce que nous désirons, à l'ensemble de l'exécutif, c'est de sensibiliser les autorités à une réévaluation de ce projet de fusion pour retirer définitivement Sainte-Famille du CSUGM. Pour ça, nous ne sommes pas obligés de continuer à laver notre linge sale sur la place publique !

Le docteur Marcotte regarda Philippe :

– Je suis entièrement d'accord avec toi, Philippe. Pensez-vous réussir, cette fois-ci ? J'ai l'impression que tout le monde perd son temps dans cette histoire-là.

– Oui, j'ai confiance, Réal ! Par contre, je tiens mordicus à ce que nous nous donnions le temps nécessaire pour réunir tous les éléments essentiels afin de faire avorter ce projet au Ministère.

Philippe avala un autre morceau de quiche tout en fixant son assiette.

– Regardez, même la nourriture à Sainte-Famille est extraordinaire !

– Eh ! que tu es chauvin, Philippe St-Laurent ! Celle de Marie-Reine-de-l'Incarnation n'est pas piquée des vers non plus ! répliqua un autre collègue.

– Peut-être, mais sûrement pas comme ici !

– Vous autres pis la bouffe ! Vous pouvez bien être gastro-entérologues ! s'esclaffa Jean Lepage. Pour revenir à ce dossier, Philippe, sois prudent. Fais-en pas un cas personnel.

– Merci, docteur, de tes bons conseils, mais je vais te dire une chose, Jean. Il est extrêmement difficile pour moi de faire autrement.

– Philippe, ce que je dis, c'est de t'assurer de ne pas te brûler.

– Ne t'inquiète pas. Je sais exactement dans quoi je m'embarque ! rétorqua-t-il.

* * *

Il était midi et quart lorsque Madame Cossette se présenta à la table avec son plateau. Elle fixa Philippe, après avoir salué brièvement les médecins attablés autour de lui.

– Le communiqué est prêt à signer.

– Je vous remercie. Je vais y aller...

Au moment où elle s'apprêtait à poursuivre sa route, Philippe l'interpella pour savoir si elle avait obtenu le rendez-vous tant désiré. Elle lui fit un signe affirmatif.

– Quand ?

– Je vous en reparlerai tantôt, dit-elle d'un air entendu.

Tournant légèrement la tête, les yeux mi-clos, il l'observa.

– Vous m'intriguez...

– Cher docteur, ce n'est pas mauvais d'être intrigué dans la vie ! ajouta-t-elle tout en s'éloignant de la table.

Les médecins, qui avaient assisté à la scène, regardèrent Philippe.

– Oh *boy* ! Tu ne fais pas pitié, Philippe, mentionna Réal Marcotte.

– C'est quoi le problème ? demanda-t-il en prenant une cuillerée de yogourt.

Jean Lepage répliqua :

– Tu n'es entouré que de belles femmes qui sont à tes pieds, à tes genoux puis à tes...

– Quoi, Jean, serais-tu jaloux par hasard ? Il me semble que les femmes, ce n'était pas vraiment ton point fort aux dernières nouvelles ?

– Bon, ça recommence ! ajouta-t-il. Vous, les *straights,* vous ne comprenez rien à l'homosexualité. Je ne suis pas aveugle quand même. N'oublie jamais que j'ai été marié pendant près de huit ans.

– Excuse-moi, j'avais complètement oublié ! répondit Philippe, mi-figue mi-raisin.

Jean se leva, salua tout le monde et lança à Philippe :

– Sale con!

Philippe se leva à son tour, salua ses collègue et se retourna vers Jean en lui donnant une tape sur l'épaule.

– C'est parce que je t'aime, Jeannot!

Philippe réussit à quitter la cafétéria pour se rendre au bureau du CMDP, où l'attendait Madame Cossette.

Le communiqué était prêt à signer mais, avant de le diffuser, Philippe devait rencontrer le DSP. Pierre de Bellefeuille avait laissé un message à midi; il désirait le voir dans les plus brefs délais.

– À quelle heure peut-il me recevoir? Parce que j'ai une clinique qui commence dans trente minutes.

– Une seconde, je vais vérifier immédiatement avec lui, ajouta sa secrétaire en prenant le téléphone.

Elle composa le numéro du poste du DSP. Pierre répondit à la deuxième sonnerie.

– Bonjour, docteur de Bellefeuille, le docteur St-Laurent est à mon bureau. Êtes-vous disponible pour le recevoir dès maintenant?

Elle écouta un instant.

– Très bien, je lui fais le message.

Elle raccrocha et le regarda.

– Il vous attend.

– Je vous remercie, dit-il en prenant le communiqué pour en faire une lecture rapide.

Celui-ci semblait convenir parfaitement au message que l'exécutif du CMDP voulait transmettre au corps médical et au personnel. S'apprêtant à quitter le bureau, il posa la question qui le tenaillait.

– Et pour le rendez-vous avec la sous-ministre?

– Bon, j'ai réussi à joindre son adjointe vers onze heures. J'ai le plaisir de vous apprendre, cher docteur, que vous avez obtenu un rendez-vous mercredi 5 janvier à neuf heures trente. La rencontre aura lieu aux bureaux du Ministère, rue Fullum.

– *Yes, sir!* s'exclama Philippe. Ça alors! Je ne m'attendais pas à obtenir ce rendez-vous aussi facilement. A-t-elle posé des questions?

– Non. Rien du tout! répondit-elle.

– Bon! Je m'en vais à côté avant qu'il ne panique.

Philippe entra à la direction des services professionnels. Il passa devant le bureau de l'adjointe administrative, absente pour l'heure du lunch, puis pénétra dans celui de Pierre de Bellefeuille.

Celui-ci était en train de manger. Il dînait fréquemment dans son bureau pour travailler à ses dossiers. C'est pourquoi les médecins lui reprochaient régulièrement son manque de visibilité, surtout depuis l'apparition des problèmes reliés à la fusion.

Pierre de Bellefeuille n'était pas très à l'aise quant au dossier de Philippe. Bien qu'il fasse partie intégrante du comité de direction de l'hôpital dont le rôle était de gérer l'ensemble du complexe hospitalier, il s'opposait lui-même à la fusion, mais pas ouvertement. Un an auparavant, le directeur général avait donné son aval à la poursuite de l'intégration des services au CSUGM. Même s'il était en désaccord avec son patron, il avait décidé de le suivre.

Malgré la vive opposition des syndicats à la création de cette mégastructure hospitalière, le projet tenait bon. Cependant une nouvelle variable pouvait tout faire basculer. Si les médecins mettaient leur plan à exécution, la direction n'aurait pas d'autre choix que d'intervenir.

Pierre déposa sa fourchette et fit signe à son beau-frère de s'asseoir.

– Comment vas-tu? demanda Pierre.

– Un peu fatigué, je t'avoue. Je travaille comme un forcené, sans compter ce damné dossier qui s'éternise.

Philippe s'installa dans le fauteuil placé devant le bureau de Pierre, mit ses deux mains derrière la tête et le regarda.

– J'ai une vingtaine de minutes à t'accorder.

– Je vais être bref, Philippe. Je veux savoir ce qui s'est passé hier soir à votre réunion de l'exécutif. Depuis ce matin, toutes sortes de ragots circulent dans l'hôpital. Suis-je obligé de te dire qu'il y en a un qui ne se possède plus en ce moment.

– Qui? Lapointe?

– Oui, Lapointe, comme tu dis. Il m'a appelé ce matin à neuf heures pour me dire qu'il avait su de source sûre que tu voulais rencontrer le Ministère pour convaincre un fonctionnaire et même la ministre d'abandonner le projet de fusion.

Philippe regarda Pierre en haussant les sourcils.

– On ne peut pas dire qu'il est mal informé. Sapristi, des fois je me demande s'il n'a pas fait installer des micros dans la salle du Conseil.

– Philippe! Ne lance pas de rumeurs. Il y en a assez comme ça.

– Pierre! Comment expliques-tu qu'il sache tout? Rien ne lui échappe! Vrai ou faux?

– Je ne peux pas te contredire, j'en conviens! Mais c'est son rôle de s'entourer de personnes fiables pour le renseigner sur ce qui circule à l'hôpital, sinon ça deviendrait incontrôlable. Mais je suis surpris de te voir si étonné que la nouvelle se soit répandue comme une traînée de poudre! Tu devrais bien le savoir, rien dans cet hôpital ne passe inaperçu. Voyons, Philippe! Tu croyais vraiment que votre discussion d'hier soir resterait confidentielle?

– De toute façon, je m'en fous carrément, nous n'avons rien à cacher! Hier soir, nous avons statué sur trois points. Dans un premier temps, nous demandons à nos médecins de reporter la date de démission en bloc jusqu'à ce que l'exécutif du CMDP puisse trouver une solution pour sortir Sainte-Famille du CSUGM. Deuxièmement...

Pierre l'interrompit.

– Vous ne pouvez pas remettre en question ce qui a été entériné, Philippe! La ministre a déjà statué sur le sujet. Ne l'oubliez pas!

– Attends une minute, je n'ai pas fini! Tu me feras tes commentaires après.

C'était un avantage pour Philippe que Pierre soit son beau-frère. Il pouvait lui parler ouvertement sans être obligé de prendre des gants blancs.

Il continua :

– Deuxièmement, j'ai été mandaté par l'exécutif pour rencontrer la nouvelle sous-ministre aux immobilisations à qui on a confié, il y a à peine deux semaines, le dossier du CSUGM. C'est elle qui devra régler l'impasse actuelle.

– Elle n'acceptera jamais de te rencontrer! rétorqua Pierre en se levant.

– Veux-tu te rasseoir et arrêter de paniquer! l'exhorta Philippe. Je me demande parfois pour qui tu prends parti. Je ne comprends pas ton attitude, Pierre. Toi qui as travaillé tellement d'années dans le département de médecine familiale de l'hôpital avant d'être nommé DSP, qui serait mieux placé que toi pour nous comprendre?

Pierre ne répondit pas.

– Continue, Philippe!

Faisant fi du fait que son beau-frère était en train de perdre contenance, Philippe poursuivit.

– Le troisième point a été d'évaluer comment la population pourrait nous aider. Je ne t'apprends rien en te disant qu'il se prépare un mouvement pour dénoncer le projet. Des représentants du public siègent au conseil d'administration. Suis-je obligé de te rappeler de quel côté ils penchent?

– Tu as fini ? demanda Pierre d'un ton sec.

– Oui, mais je t'avise qu'il me reste juste dix minutes.

– Philippe, es-tu conscient que tu outrepasses les règles ? N'oublie jamais qu'entre toi et la ministre de la Santé, il y a la direction générale, le conseil d'administration et la Régie régionale. Tu ne peux pas, du jour au lendemain, te rendre directement au Ministère pour discuter d'un cas. Tu vas te buter à un mur, elle n'acceptera même pas de te recevoir ! Puis, à ce que je sache, tu représentes l'ensemble des médecins du CSUGM. Pas juste les médecins de Sainte-Famille.

Philippe s'empourpra.

– Excuse-moi, je t'arrête tout de suite. Pour ta gouverne, j'ai obtenu, ce matin, un rendez-vous avec elle. Je la rencontre le 5 janvier.

Pierre resta bouche bée.

– Voyons donc ! Ce n'est pas sérieux.

– Très sérieux ! Alors laisse-moi faire mon travail de président du CMDP et sois heureux que j'aie réussi à calmer nos troupes afin d'éviter une démission prochaine des médecins. Tu diras aussi à ton patron qu'il est bien chanceux que nous n'ayons pas encore convoqué les médias. *Capish ?* Pour ce qui est de mon rôle de président, je tiens à te rappeler que l'exécutif est composé de neuf médecins dont sept proviennent de Sainte-Famille. Je me sens extrêmement à l'aise de défendre les intérêts des médecins d'ici. As-tu autre chose à me dire ?

Pierre était sans voix. Comment avait-il pu réussir à obtenir ce rendez-vous avec la sous-ministre ? Et cet ultimatum d'informer les médias...

Philippe se leva.

– Pierre, je dois partir mais, je veux te dire encore une chose : notre culture est loin de correspondre à celle des deux autres centres hospitaliers. Même si nous tentons de faire des rapprochements, nous ne pourrons jamais changer la situation. Jusqu'à maintenant, Marie-Reine-de-l'Incarnation et Sainte-Anne semblent bien s'entendre. Tant mieux s'ils peuvent réussir un mariage heureux. Toutefois, en ce qui concerne les médecins de Sainte-Famille, ils ne veulent absolument rien savoir.

Philippe fit une courte pause et continua en regardant son beau-frère droit dans les yeux.

– Pierre, l'an prochain, nous fêterons notre deux cent-soixante-quinzième anniversaire. Marie-Reine-de-l'Incarnation a été fondé il y a cent trente-cinq ans et Sainte-Anne il y a cent dix ans. Tu ne peux pas unir la destinée d'une culture médicale âgée de près de trois siècles à deux centres hospitaliers qui ont guère plus d'un siècle d'existence ! C'est impossible. De toute façon, nous perdons notre temps. Vous voyez bien que ça ne fonctionne pas au niveau administratif. Arrêtons de nous leurrer. Le CSUGM ? Ça ne marchera jamais !

Incapable de le dissuader, Pierre ajouta :

– Tu veux vraiment te battre jusqu'au bout !

– Oui, Monsieur ! Je viens de te le mentionner, je rencontre Marie-France Tousignant le 5 janvier.

Philippe se leva.

– Pardon, Pierre, je dois absolument te quitter. Ma clinique commence dans quelques minutes.

– Attends une minute, je veux prendre connaissance de ton communiqué.

Pierre lut la note tout en se frottant le front.

– Il est évident que le DG et la moitié du conseil d'administration n'apprécieront pas ce qui est écrit là.

Puis il se tut. Il se demanda qui prodiguaient les soins dans un hôpital. Certainement pas les administrateurs. Il posa une dernière question à son beau-frère.

– Philippe, es-tu conscient de la position dans laquelle tu me mets présentement ?

Philippe fronça les sourcils et répondit en riant :

– Quoi ? Aimes-tu mieux celle du missionnaire ?

Pierre le regarda, décontenancé.

– Va faire ta clinique ! Moi, de mon côté, je ramasserai les pots cassés.

– Pauvre Pierre !

Une fois près de la porte, Philippe fit demi-tour et revint dans le bureau.

– Oh ! j'oubliais. Pour la soirée du 24 décembre, nous ne pourrons accepter votre invitation. J'ai un empêchement d'ordre... diplomatique.

– Dommage ! Vous allez manquer quelque chose. Tu connais Isabelle ?

– Je m'en doute ! répondit Philippe, visiblement mal à l'aise. Nous n'avons vraiment pas le choix !

– Ça va, Philippe. On se reprendra.

– Je te remercie de ta compréhension. De toute façon, nous allons nous revoir le soir du 31 ?

– Oui ! Oui !

– Bon après-midi.

– Salut !

Pierre se rassit dans son fauteuil et s'y cala profondément, constatant qu'il ne dirigeait absolument rien. Il ouvrit le tiroir placé à sa droite, puis retira le cahier noir dans lequel il consignait des informations de toute nature, reliées tantôt à des décisions prises par l'organisation, la Régie régionale ou le Ministère, tantôt à des commentaires reçus, des ragots ou tout simplement des réactions de la part d'employés ou de médecins de l'hôpital.

Prenant sa plume Mont-Blanc, il inscrivit la note suivante :

Jeudi 16 décembre, 12 h 30

Le CMDP envoie aujourd'hui un communiqué annonçant qu'il boycotte la fusion et demande aux médecins de surseoir temporairement à la démission en bloc.

J'ai parlé à Philippe de mes appréhensions concernant les réactions du CA et du DG. Il s'en fout complètement. Il rencontrera la sous-ministre aux immobilisations le 5 janvier prochain pour discuter du dossier.

Je vais communiquer ces informations au DG.

Il referma son cahier et le redéposa dans le tiroir au moment où son adjointe venait lui dire qu'il avait un message de son patron.

– Pourquoi ne m'appelle-t-il pas directement dans mon bureau ? Il me semble que ça pourrait être plus simple, non ?

Regardant vers le plafond, il ajouta :

– Pourquoi faire simple quand on peut faire compliqué !

Il trouvait son rôle de moins en moins valorisant depuis que le directeur général était en poste. Il devait se ranger derrière Roger Lapointe, qui exerçait une gestion très centralisée, tout en continuant de défendre les droits des médecins et de gérer cette direction.

Le poste de directeur des services professionnels était une fonction difficile à occuper dans un hôpital, car diriger des médecins n'était pas une mince tâche. Les médecins n'étaient pas des administrateurs, tous s'entendaient là-dessus ; leur rôle était de soigner. Lorsque la direction se préoccupait du coût des traitements, il était extrêmement difficile de leur faire entendre raison ; leurs patients étaient malades et il fallait les soigner coûte que coûte.

Pierre comprenait leurs revendications mais, maintenant, il occupait un poste de direction. Il devait les motiver à fournir des soins tout en respectant les budgets, délicate tâche administrative à accomplir, surtout avec Philippe St-Laurent comme président du CMDP.

Depuis des années, le réseau de la santé et des services sociaux du Québec connaissait de grands bouleversements budgétaires à coups de compressions futiles, voire destructrices, qui sapaient un système de santé longtemps envié par les États-Unis et les pays européens.

La pire erreur fut la décision du gouvernement du Québec, à l'automne 1997, d'accorder des retraites anticipées aux employés du secteur public. N'ayant pas prévu que ces offres attireraient tant de preneurs, les établissements de santé furent pris au piège ; des départs massifs à la retraite, de gens expérimentés, créèrent un vide incommensurable dont la population vivait encore les conséquences quelques années plus tard.

Et que dire des grands mouvements de fusion des établissements de santé effectués au cours des années 1996 et 1997 ? Malgré les réticences, l'ensemble des fusions d'établissements s'étaient effectuées sans heurts, ce qui n'était pas le cas pour le CSUGM.

Pierre demanda à son adjointe de vérifier si le directeur général pouvait le recevoir. La réponse fut oui, et tout de suite. Aucunement étonné d'être ainsi attendu, il se leva puis admira furtivement sa nouvelle acquisition, une toile de Claude Le Sauteur.

En longeant le corridor du pavillon De Maisonneuve pour se rendre à la direction générale, il jeta un coup d'œil à l'extérieur ; quelques flocons de neige tournoyaient. Au bout du corridor, il tourna à gauche, puis entra dans le bureau et salua l'adjointe de Roger Lapointe.

– Bonjour, Estelle.

– Bonjour, docteur de Bellefeuille. Vous pouvez entrer, le grand patron vous attend ! fit-elle d'un air narquois.

Pierre entra et Roger Lapointe vint à sa rencontre, lui faisant signe de s'asseoir dans l'un des quatre fauteuils installés à droite, près d'une des fenêtres.

– Pis ! Qu'as-tu réussi à savoir ? demanda-t-il.

Pierre croisa les jambes.

– Disons que Philippe a décidé de déclarer la guerre. Je viens de le rencontrer. Hier soir, l'exécutif du CMDP l'a mandaté pour qu'il aille au front convaincre le Ministère de revenir sur sa décision. Les médecins boycottent le projet et menacent de démissionner en bloc si Sainte-Famille n'est pas retiré du CSUGM.

Roger Lapointe se leva d'un bond, pris de colère, et assena deux coups de poing sur son bureau.

– Ils ne peuvent absolument rien faire ! cria-t-il. C'est la direction, appuyée par le conseil d'administration, qui mène le show ! Pas les docteurs ! Puis de toute façon, ils ne peuvent pas démissionner. Il y a une loi qui les en empêche.

Pierre le laissa se défouler.

Se tournant vers la fenêtre, Roger ajouta :

– De toute façon, ils perdent leur temps. Le Ministère ne tolérera pas ça. La ministre a été formelle lundi ; le projet de fusion doit se concrétiser et la date butoir pour que nous présentions un plan détaillé de l'intégration des services est le premier mars prochain. Nous sommes le 16 décembre, à une semaine des fêtes, et nous travaillons à fournir un plan intelligent de ce que nous croyons réaliste pour le CSUGM.

Pierre se leva à son tour.

– Veux-tu en entendre une bonne ?

– Quoi ?

– Philippe a obtenu un rendez-vous avec la nouvelle sous-ministre aux immobilisations. Celle-ci vient tout juste d'être engagée au ministère de la Santé pour s'occuper du dossier du CSUGM. Il la rencontre le 5 janvier.

– Tu ris de moi !

– Non, Monsieur. Je suis tout à fait sérieux !

– Voyons donc ! grommela-t-il.

Roger Lapointe était furieux. Comment se faisait-il que la Régie régionale ne l'avait pas informé que le dossier du CSUGM changeait de main? Et pourquoi le Ministère acceptait-il de recevoir Philippe sans qu'on lui demande son autorisation?

Engagé, deux ans auparavant, pour effectuer la réorganisation complète de l'établissement universitaire en vue d'une fusion harmonieuse des trois centres hospitaliers, Roger Lapointe n'avait toujours pas réussi à relever le défi. À plusieurs reprises au cours de sa carrière, il avait eu à intervenir dans la gestion de certains centres hospitaliers aux prises avec des problèmes organisationnels ou financiers.

Reconnu et respecté par ses pairs du réseau de la santé et des services sociaux, c'est sans grande surprise que la nouvelle de sa nomination à la tête du CSUGM avait été accueillie par ses collègues administrateurs; la rumeur avait amplement circulé au cours du congrès de l'Association des hôpitaux du Québec, tenue au mois de mai.

Pas plus tard que le mois suivant, le ministre de l'époque avait annoncé en grand la nomination de Roger Lapointe. Son mandat était précis : il devait réussir là où tous avaient échoué.

Ce vieux routier du secteur hospitalier avait amorcé sa carrière lorsque le ministre Castonguay avait instauré le régime de l'assurance-maladie au Québec. Il avait gravi les échelons un à un, passant de chef du service de la comptabilité à directeur adjoint des ressources financières. Après avoir occupé le poste de directeur des ressources financières, il devint directeur général, à quarante ans.

On le qualifiait de phénomène, car ce n'était pas un gestionnaire comme les autres. Sensible, organisé et drôle par moments, c'était un mobilisateur hors pair qui avait réussi, dans le passé, à redresser des situations délicates ayant trait aux ressources humaines et financières. Et, une de ses principales forces, c'est qu'il savait composer avec une équipe médicale, le véritable enjeu d'un centre hospitalier.

Roger Lapointe était donc la personne toute désignée pour occuper ce poste. Cependant, pourquoi était-il incapable de rallier toutes les forces dans le cas du CSUGM?

– Je vais appeler le président du conseil pour l'informer de ce qui se passe en ce moment. Je vais lui suggérer que nous communiquions avec la ministre pour empêcher la tenue de cette rencontre.

– Pas si vite, Roger. Si j'étais à ta place, je laisserais couler un peu d'eau jusqu'au 5 janvier. Qu'ils se rencontrent. Qui te dit que la sous-ministre ne va pas lui faire une mise en garde? Puis... en plus, le conseil d'administration est divisé sur la question. Vrai ou faux?

– C'est vrai!

– La population, de son côté, n'est pas d'accord non plus avec la fusion, n'est-ce pas?

– Ça va!

Pierre se leva et traversa la pièce, en se frottant les mains.

– Ce que je te propose, Roger, c'est de le laisser faire. Tu le connais, Philippe. Il est fougueux, énergique et ne réfléchit pas toujours comme il le devrait. Il veut à tout prix sauver Sainte-Famille. Même si tu tentes de l'empêcher de voir la sous-ministre, il le fera de toute façon. Je le connais, c'est mon beau-frère depuis douze ans.

Il fit une pause.

– Tu sais, Roger, Philippe n'a rien à son épreuve. Il va devoir se cogner le nez au Ministère pour se rendre compte que ce n'est pas le CMDP qui mène dans un hôpital, mais la direction générale, et surtout le Ministère. Laisse-le donc faire.

– Ouais! Tu as probablement raison.

Roger regarda Pierre.

– Ça m'étonne que tu me dises ça, Pierre.

– Pourquoi?

– C'est tout de même ton beau-frère!

– Oui, mais moi je suis le DSP. J'ai un travail à faire, et je le fais. Je dois toutefois t'avouer que ce n'est pas toujours facile lorsque nous nous rencontrons ces temps-ci, les fins de semaine.

Roger reprenait son calme. Il s'installa à nouveau dans son fauteuil, posa les coudes sur ses genoux et claqua des mains.

– Bon! Roger, tu respires par le nez et tu attends qu'il se pende avec sa propre corde. Ce n'est pas plus compliqué que ça!

– Je crois que c'est sage.

– Est-il prévu qu'un communiqué circule dans l'hôpital?

– Oui, au cours de l'après-midi.

– Parfait, je vais appeler le président pour l'informer des derniers développements et je vais convoquer le comité de direction pour une réunion, dans quarante-cinq minutes tout au plus, ici même.

Pierre allait ouvrir la porte.

– Parfait, je reviens plus tard alors.

– Pierre? Est-ce que Philippe prévoit de tenir une conférence de presse?

– Pas pour le moment. Compte-toi bien chanceux.

– Ouais, si chance il y a, rétorqua-t-il.

Pierre quitta la direction générale en se demandant s'il avait bien conseillé son patron. De son côté, ce dernier donnait les consignes à Estelle pour qu'elle convoque le comité de direction.

Pierre entra dans son bureau, s'assit et ouvrit le tiroir droit. Il prit le cahier noir et inscrivit une deuxième note en moins d'une heure.

Chapitre V

Un après-midi de clinique

De retour au bureau, Philippe signa le communiqué pour qu'il soit distribué au cours de l'après-midi.

La temps étant clément, Philippe sortit de l'hôpital en sarrau et traversa la rue Berri pour se rendre à son bureau privé. Il passerait le reste de la journée à donner des consultations avant de se rendre à l'urgence et aux étages achever son travail. Ainsi, il serait à la maison à dix-huit heures, tel qu'il l'avait promis à sa fille. Et une promesse, c'était une promesse. Surtout lorsqu'il s'agissait de ses enfants.

En entrant, il salua sa secrétaire, puis consulta sa montre. Il lui restait, en fait, une demi-heure pour vaquer à certaines tâches administratives. Il vit Caroline qui semblait jeter un coup d'œil aux résultats des derniers rapports d'analyses de laboratoire et de radiographies ramenés de l'hôpital. Il la salua avant de refermer la porte derrière lui.

Il s'avança vers elle, assise à la table de travail, puis l'embrassa sur la nuque. Elle, pour sa part, poursuivit sa lecture, feignant de ne rien ressentir. Du bout de la langue, il suivit lascivement sa nuque, jusqu'à son oreille. Incapable de lui résister plus longtemps, Caroline inclina la tête et s'abandonna complètement.

– Philippe! soupira-t-elle.

– Oui, ma chérie?

– J'aime ça.

– Qu'est-ce que tu aimes? Que je t'embrasse? lui chuchota-t-il doucement à l'oreille.

– Que tu m'embrasses et que tu me caresses, ajouta-t-elle, oubliant complètement l'état d'âme avec lequel elle avait dû composer au cours de la matinée.

Il tourna légèrement le fauteuil et s'accroupit devant elle. Sans perdre une minute, il enfouit son visage dans l'ouverture de sa blouse qui laissait entrevoir un nouveau soutien-gorge.

Philippe déboutonna la blouse de Caroline pour mieux admirer ce qu'elle cachait dans cette fine lingerie de dentelle. Il trouvait excitant de la caresser dans le bureau à cette heure de l'après-midi. Pour sa part, Caroline se surprit même à souhaiter que Josette entre à l'improviste. De cette façon, Claire serait informée de cette relation et, connaissant son caractère, elle ne l'accepterait sûrement pas.

Il la contempla.

– Tu m'excites, Caroline! réussit-il à dire, se rendant compte qu'ils n'avaient guère le temps de faire l'amour; la première patiente était sur le point d'arriver.

Caroline encercla le visage de Philippe de ses mains et l'invita à se rendre aux toilettes de son bureau.

– Ce n'est pas raisonnable, dit-il en consultant furtivement sa montre.

Mais il obtempéra, n'étant plus maître de sa volonté. La magie opéra à nouveau. Ils firent l'amour pendant dix minutes, oubliant, une fois de plus, toutes leurs responsabilités.

Pendant qu'il se rhabillait, Philippe se rendit compte qu'il en était à sa quatrième relation sexuelle en moins de vingt-quatre heures.

– À quoi penses-tu ? demanda Caroline en rattachant sa blouse.

– Bien, on a baisé pour la peine, depuis hier.

– Oui, en effet ! répondit-elle tout en replaçant ses cheveux.

Une minute plus tard, sa secrétaire cogna à la porte.

– Entrez !

Josette apparut avec les dossiers des deux patients qui venaient d'arriver. Elle les remit à Caroline, puis retourna à son poste en refermant la porte derrière elle.

Caroline se leva.

– Caroline, c'était merveilleux. Je ne m'attendais vraiment pas à faire l'amour cet après-midi !

– Moi non plus ! dit-elle en prenant un air de gamine.

– Ça va ?

– Oui, oui, ça va !

– Tu es certaine ?

– Disons moyen. Je t'avoue que lorsque j'ai vu Claire ce matin, j'ai cru qu'elle se doutait de quelque chose.

– Oh, moi aussi ! Il va falloir se montrer prudents. On ne doit pas la sous-estimer ; elle est très perspicace. Je vais être franc, cela tient du miracle qu'elle ne soit pas encore au courant.

Caroline s'avança vers la porte pour appeler le premier patient. Au moment où elle s'apprêtait à ouvrir, Philippe ajouta :

– Ce matin, lorsqu'elle m'a rejoint dans la douche, elle a remarqué l'égratignure que tu m'as faite hier ; le genre d'indice pas vraiment nécessaire dans les circonstances.

– Tu te fous de moi ?

– Oh non, ma chérie ! Je suis très sérieux.

Le cœur de Caroline se mit à battre plus fort.

– Qu'as-tu trouvé comme raison?

Philippe se sentit tout à coup pris dans un cul de sac.

– Je n'ai rien ajouté.

– Tu n'as donné aucune explication?

– Non.

Penchant sa tête vers son bureau, Philippe n'osait plus regarder Caroline en face.

Elle délaissa la poignée de porte et s'avança vers lui.

– Quoi? Tu aurais pu lui dire que tu t'étais gratté trop fort!

– Bien, disons qu'elle ne m'a pas vraiment donné le temps de répondre...

– Que veux-tu insinuer? Avez-vous fait l'amour? demanda-t-elle, inquiète.

– Euh!... oui.

– Sous la douche?

– C'est important, pour toi, de savoir où?

Caroline eut le souffle coupé. Bien qu'elle fût consciente qu'il avait occasionnellement des relations sexuelles avec sa femme, elle ne pouvait croire ce qu'elle venait d'entendre. La veille, ils avaient fait l'amour deux fois; ce matin, il avait couché avec sa femme, et là, une fois de plus, ils avaient refait l'amour. La goutte était sur le point de faire déborder le vase. Elle se demanda qui était cet homme qu'elle aimait éperdument et s'il restait une seule once de morale en lui.

Comment un homme intelligent, qui réussissait tout ce qu'il entreprenait, pouvait-il mentir et jouer avec les sentiments de deux personnes? Et ses enfants dans tout ça?

– Caroline? Je veux t'expliquer.

Elle le dévisagea avec fureur puis quitta la pièce, sans rien ajouter, pour appeler la première patiente.

Stoïque, il téléphona au service des communications pour prendre ses messages ; son téléavertisseur venait tout juste de vibrer.

* * *

Professionnelle, Caroline réussit à recevoir les dix patients. Après le départ du dernier, elle pénétra dans le bureau de Philippe au moment où il s'attardait à inscrire, dans un dossier médical, la posologie du médicament qu'il venait de prescrire. Elle l'arracha à sa concentration.

– Caroline ? fit-il en posant son stylo-bille.

– Oui ! dit-elle en feignant de chercher un rapport dans un dossier.

– Excuse-moi si je t'ai blessée ! J'ai été bête. Je n'aurais pas dû te raconter tout ça.

Caroline continua à chercher le rapport d'analyse imaginaire...

– Rappelle-toi ce que je t'ai dit hier. Donne-moi encore un peu de temps pour parler à...

Caroline ne lui permit pas de terminer sa phrase.

– Philippe, oublie ça ! Revenons plutôt à ta proposition du 23 décembre.

– Oui ! s'exclama-t-il, un peu surpris.

– Qu'est-ce qui te plairait ? Passer une journée ou une soirée dans le Nord ? Ou...

Philippe se cala dans son fauteuil, quelque peu étonné de la question.

– Que dirais-tu de passer une soirée au *Ritz* ? Tu réserverais une chambre et nous pourrions nous y rendre, une fois la clinique terminée. Qu'en penses-tu ?

– Excellente idée ! J'espère seulement qu'il y a encore des chambres disponibles, surtout à la dernière minute comme ça... Laisse-moi vérifier. On ne sait jamais ! Tu pourrais te libérer jusqu'à quelle heure ?

– Bien, j'aimerais être à la maison vers minuit. Est-ce raisonnable ?

– Oui ! Tout à fait. Et le budget ?

– Bien... c'est le temps des fêtes ! dit-il langoureusement.

Elle l'interrompit à nouveau, et prit un ton mielleux à son tour.

– ... puis je pourrais nous ménager quelque chose de spécial...

– Trois cent cinquante, c'est suffisant ?

Semblant évaluer le prix, elle répondit :

– Ça devrait aller !

Philippe dépensait rarement autant d'argent pour ce genre de soirée, mais s'il souhaitait récupérer la situation, c'était le seul choix qui s'offrait à lui... à ce moment-là.

Il se leva et se rendit à la salle d'urgence ; une de ses patientes avait absorbé par erreur une dizaine de cachets d'aspirine de cinq cents milligrammes en moins de trois heures, ce qui avait provoqué une hémorragie digestive.

– Est-elle stabilisée ? demanda Caroline.

– Oui, mais je dois aller la voir. C'est Madame Gendron.

– Pauvre vieille, ajouta Caroline. Elle est de plus en plus confuse. Il va falloir que tu convainques ses enfants de la placer dans un centre d'hébergement. Ce n'est plus un cas de maison.

– En effet ! Tu as bien raison.

Épuisée par sa journée, elle enfila son manteau, mit ses bottes et alla le saluer avant de partir.

– Bonne soirée, dit-elle.

– Caroline ?

– Quoi ! répondit-elle sans se retourner.

– Ferme la porte deux secondes.

Caroline s'exécuta tout en manifestant des signes d'impatience.

– Philippe, je suis fatiguée!

– Ce ne sera pas long. Je veux juste te dire que j'ai bien aimé notre petit coup à la sauvette tout à l'heure.

Caroline ouvrit la porte.

– Ça va, Philippe. Bonsoir!

Elle sortit sans se retourner et salua Josette avant de quitter la clinique.

* * *

La noirceur s'installait déjà au moment où Caroline mit le pied à l'extérieur. Quelques centimètres de neige recouvraient les trottoirs et les parcelles de terrain qui caractérisaient si bien ce secteur de la rue Berri. Pour se détendre, elle décida de rentrer chez elle à pied.

Elle marcha jusqu'à la rue Laurier. N'ayant pas l'énergie de se préparer à dîner, elle s'arrêta *Chez Eduardo* pour se procurer des cannellonis. En entrant, elle se retrouva face à face avec Marie-Josée Gagnon, sa meilleure amie, qui demeurait à deux pâtés de maisons de chez elle.

– Oh! Ça n'a pas l'air d'aller?

– Pas vraiment, répondit Caroline, un brin d'émotion dans la voix.

Elle fixa Marie-Josée.

– Est-ce que tu es libre ce soir? J'ai terriblement besoin de parler.

– Ton docteur Machin, encore?

– Oui, si tu veux, osa répondre Caroline tout en s'assurant qu'il n'y avait personne de l'hôpital dans leur entourage.

– Si tu as besoin de parler, je souperai volontiers avec toi. C'est ce que tu voulais me suggérer? demanda-t-elle, un sourire dans la voix.

– Bien, c'était ma prochaine question, ajouta Caroline en montrant au garçon son choix.

Marie-Josée, comédienne de vingt-sept ans, tenait un rôle dans une émission hebdomadaire à la télévision de Radio-Canada. Elle y incarnait une jeune femme de vingt-quatre ans qui revenait vivre chez ses parents après une absence de trois ans. Elle avait un plaisir fou à jouer ce rôle, surtout que son père, dans l'émission, était nul autre que Michel Cinq-Mars, un comédien adulé de tous.

Plus le temps passait, plus elle était connue et reconnue du public, et elle prenait un malin plaisir à parler avec les gens qui l'abordaient dans la rue. Bien que ses parents se fussent vivement opposés à son choix de carrière, elle avait suivi son intuition et avait défié l'autorité parentale pour s'inscrire en théâtre au Cégep de Saint-Hyacinthe.

Étant l'amie de Caroline depuis sa plus tendre enfance, même si elle était sa cadette de trois ans, elle seule pouvait vraiment la comprendre.

* * *

En entrant dans son logement, Caroline alla déposer les deux plats au four avant d'ouvrir son garde-manger où elle cachait toujours quelques bouteilles de vin.

– Je te sers un verre de rouge ? demanda-t-elle à Marie-Josée.

– Pourquoi pas ?

Caroline but une première gorgée de vin, puis se dirigea vers le salon où elle disposa trois napperons sur la table à café. Elle plaça les ustensiles et mit dans le lecteur quelques disques compacts de jazz.

Une demi-heure plus tard, elles s'installèrent sur des coussins posés par terre pour prendre le repas.

– Comment va ton beau Philippe? demanda enfin Marie-Josée.

Caroline se mit à pleurer sans avertissement.

– Il te rend visiblement malheureuse cet homme-là.

– Oh! Marie-Josée. Je n'en peux plus! Si je poursuis cette relation malsaine, c'est ma santé qui va s'en ressentir.

– Que prévois-tu de faire?

Caroline raconta en détail tout ce qui s'était passé depuis la veille jusqu'à sa dernière conversation avec Philippe dans l'après-midi. Marie-Josée écoutait attentivement Caroline. Une fois qu'elle lui eut dévoilé ses plans, la comédienne éclata de rire.

– Quelle imagination débordante! Parle-moi de ça, quelqu'un qui se tient debout! Je crois que le temps est venu de passer à autre chose? Pas vrai?

* * *

Caroline se leva, desservit la table, puis se rendit à la cuisine pour préparer deux espressos. Au même moment, elle vit clignoter la lumière indiquant qu'elle avait des messages, qu'elle écouta. Le premier provenait de sa mère qui désirait de ses nouvelles, le deuxième de la direction des ressources humaines de Sainte-Famille; on lui annonçait qu'elle avait obtenu un poste au centre de recherche et on la priait de rappeler le plus tôt possible en vue d'une rencontre avec le directeur de laboratoire.

Elle réécouta le message, et revint au salon.

– J'ai le poste! cria-t-elle.

– Quoi? s'exclama Marie-Josée.

– Je viens de prendre mes messages et la direction des ressources humaines m'avise que j'ai obtenu le poste au centre de recherche.

Marie-Josée se leva :

– Es-tu sérieuse ?

– Oui, je te dis. Viens écouter !

Caroline était folle de joie. Sans perdre un instant, elle s'approcha de sa chaîne stéréophonique, et fit jouer un disque de Carlos Santana. Elles se mirent à danser comme des déchaînées ; rien de mieux que la musique latino-américaine pour expulser toute cette pression des derniers mois.

Lorsque la pièce musicale prit fin, Caroline baissa le volume et Marie-Josée se laissa tomber sur le canapé, essoufflée.

– Wow ! Maintenant, tu peux passer à l'action, ma chère dame !

– Oui, maintenant je peux mettre mon plan à exécution.

Caroline se sentait à la fois heureuse et anxieuse, un mélange d'émotions difficiles à expliquer. Si elle acceptait le poste au centre de recherche, cela signifierait la fin de sa relation avec Philippe ; il n'y avait pas de doute.

* * *

Philippe réussit à mettre les pieds dans la maison vers dix-huit heures et quart. Lorsqu'ils l'entendirent entrer, les enfants accoururent pour l'accueillir.

– Papa ! s'écria Geneviève.

Sans attendre la réaction de Philippe, elle se jeta dans ses bras ; son père lui avait tellement manqué au cours des derniers jours. Cette belle jeune fille, déjà grande pour son âge, avait de longs cheveux brun roux qui entouraient un joli visage parsemé de petites taches de rousseur.

– Bonjour, ma chérie, dit Philippe en la serrant dans ses bras.

– Bonjour, papa! cria à son tour Pierre-Olivier, Charles-Antoine sautant sur lui.

Pierre-Olivier était un petit blondinet bien sage. Son frère, pour sa part, pétillait d'espièglerie. Eux aussi s'ennuyaient de leur père.

Philippe les embrassa chacun leur tour.

– Tout a bien été aujourd'hui?

Les enfants racontèrent leur journée pendant que Philippe essayait tant bien que mal d'avancer vers la cuisine, ayant le bras de Charles-Antoine autour de sa jambe gauche, celui de Pierre-Olivier autour de ses fesses et la main de Geneviève dans sa main droite. Claire arriva dans la cuisine au même moment et éclata de rire lorsqu'elle les vit tous accrochés à lui.

– Je crois que vous aviez hâte de voir votre père, hein les enfants?

Geneviève se tourna vers sa mère.

– Oh oui, maman! Papa nous a vraiment manqué cette semaine.

Pierre-Olivier et Charles-Antoine se mirent en position pour lutter avec leur père.

– Vous voulez déjà vous battre? Je viens tout juste d'arriver! Et puis... vous n'avez pas faim, vous autres?

– Allons-nous au restaurant, papa? demandèrent les deux garçons tout en s'immobilisant pour voir sa réaction.

Philippe regarda Claire avant de répondre.

– J'ai donné congé de souper à Lise, ce soir. Donc...

– Youpi! s'écrièrent les deux plus vieux.

– Mais je n'ai pas dit que nous allions au restaurant! répliqua Claire en faisant un clin d'œil à son mari.

Avec l'air d'analyser la situation, Philippe leur proposa d'aller chez *Giorgio*. Il n'eut pas besoin d'attendre longtemps pour obtenir une réaction. Tous allèrent se vêtir et se retrouvèrent quelques minutes plus tard dans la voiture.

En route, Claire examina Philippe.

– Tu me sembles fatigué, ce soir...

– Si tu savais le genre de journée que j'ai eu à me farcir aujourd'hui !

À table, les enfants racontèrent à Philippe leur semaine. Claire les écoutait quand son attention revint à son mari; ses traits étaient visiblement tirés. Ce devait être le dossier de Sainte-Famille qui le préoccupait, songea-t-elle.

Quand ils arrivèrent à la maison, Lise s'occupa des enfants et Philippe se dirigea vers la cuisine.

– Claire, désires-tu une tasse de thé?

– Non, chéri. Je préférerais une tisane.

– Très bien, je m'en occupe.

– Merci ! répondit-elle en précisant qu'elle en profiterait pour aller se doucher.

Philippe prépara le thé et la tisane, puis monta vers sa chambre. Au moment où il entra dans la pièce, Claire se séchait.

– Tiens, moi aussi je vais faire un saut sous la douche. Je n'ai même pas l'énergie de me faire couler un bain.

Pendant qu'il laissait ruisseler l'eau sur son corps, il entendit par l'intercom que les enfants étaient prêts à se coucher. Claire entra dans la salle de bain.

– Viens-tu embrasser les enfants ?

– Vas-y, je te rejoins dans deux minutes.

De retour dans leur vivoir, Philippe s'installa confortablement en prenant sa tasse de thé. Claire inséra un disque de Noël dans le lecteur et prit place dans un fauteuil, en sirotant sa tisane.

– Tu me sembles inquiet, mon amour.

Philippe but une gorgée de thé en fixant la base de la bibliothèque située à quelques mètres devant lui.

– Qu'est-ce qu'il y a, Philippe ?

Philippe, fatigué par les deux dernières journées, ne pensait qu'à Caroline. Comment avait-elle pu accepter d'organiser la soirée du 23 décembre après l'humiliation qu'il lui avait fait subir au cours de l'après-midi.

– Philippe?

– Quoi! répondit-il avec une certaine impatience.

– Je viens de te poser une question. Qu'est-ce qui se passe? Tu n'es plus le même depuis quelque temps.

– Qu'est-ce qui a changé?

Elle fut étonnée par sa question.

– Tu es de plus en plus impatient avec moi et notre couple semble plus fragile.

– Ben voyons donc! Je suis seulement épuisé. Tellement épuisé...

Claire quitta son fauteuil, s'installa par terre près de lui et posa son menton sur ses genoux.

– Qu'est-ce qui te tracasses, mon amour?

Philippe glissa ses doigts dans la chevelure de Claire et joua avec une de ses mèches, sans dire un mot. N'ayant pas le courage de lui avouer son infidélité, il resta muet sur les sentiments qui l'habitaient depuis deux ans. Toujours pour la même raison : elle était une bonne mère et ne méritait pas qu'il la trahisse ainsi. Claire se leva et s'étendit sur le fauteuil de manière à être en face de lui. À peine quelques centimètres les séparaient l'un de l'autre.

– Parle-moi, chéri! Dis-moi ce que tu ressens!

Philippe l'embrassa pendant quelques minutes, une certaine violence dans le geste. Puis il s'arrêta brusquement.

– Claire, je ressens un tel vide en moi. J'ai l'impression de courir partout et d'oublier l'essentiel.

– Je comprends qu'il soit difficile pour toi de tout concilier en ce moment. Les dossiers que tu pilotes ne sont pas à sous-estimer, en l'occurrence la bataille que tu as décidé de livrer!

Elle n'avait jamais dit aussi vrai. Effectivement, il livrait une bataille, mais savait-elle vraiment laquelle? Et lui?

* * *

Il était vingt et une heures lorsqu'ils décidèrent d'aller au lit. Il éteignit la musique et ils se couchèrent sans rien conclure à ce sujet. Philippe s'endormit aussitôt, tandis que Claire ne réussit à gagner le sommeil que beaucoup plus tard. Depuis leur mariage, elle ne l'avait jamais vu dans un état semblable. Elle se demanda ce qui pouvait tant l'affecter.

CHAPITRE VI

Philippe se questionne

Ce vendredi de mi-décembre s'annonçait comme la journée la plus mouvementée des deux derniers mois. Caroline, éveillée depuis quelques minutes, réfléchissait à ce que lui réserverait la journée. Quitterait-elle son emploi ? Aurait-elle le courage de plaquer Philippe pour de bon ? Était-elle si déterminée ? Pourquoi lui avait-elle laissé l'occasion de profiter d'elle ?

Pourquoi avait-elle réagi si durement lorsque Philippe lui avait avoué qu'il avait eu une relation sexuelle avec sa femme, hier. Elle était consciente, pourtant, qu'il continuait à lui faire l'amour. Il n'y avait plus de doute dans son esprit. Elle le désirait à elle seule, ne plus le partager avec une autre.

Une fois qu'elle eut pris une douche, elle avala son petit déjeuner et quitta son appartement à sept heures et demie. En arrivant à l'hôpital, elle se rendit à la direction des ressources humaines pour rencontrer celle qui lui avait laissé un message la veille.

En revenant à son bureau, elle réfléchit à sa relation avec Philippe. Les journées et les semaines s'étaient enchaînées. Deux ans après le début de leur aventure, elle en était toujours au même point. Ce qui était pour elle une véritable relation d'amour était pour lui juste une passade...

* * *

Claire quitta le service des archives médicales pour se rendre à la direction des services professionnels. Elle demanda à l'adjointe administrative de rencontrer son frère.

– Il est au téléphone présentement. Désirez-vous attendre? Cela ne devrait plus être très long.

– Volontiers, je dois absolument le voir ce matin.

Quelques minutes plus tard, Hélène invita Claire à entrer; Pierre venait de terminer son appel.

– Bonjour, frérot, comment vas-tu?

Pierre se leva pour accueillir Claire.

– Une apparition, ce matin. Quel bon vent t'amène, fit-il en embrassant sa sœur sur les deux joues. Il y a une éternité que nous nous sommes rencontrés, même si nos services sont dans le même corridor.

– C'est vrai! Depuis septembre, ça ne dérougit pas.

Elle lui fit un petit sourire.

– Pierre, je suis venue te voir pour une raison bien précise.

Elle l'informa que le docteur Marc Côté manquait à ses devoirs. Dans les trois derniers mois, plus de vingt-cinq protocoles opératoires n'avaient pas encore été dictés et trente-cinq feuilles sommaires non signées. Elle lui dit que son patron tolérait la situation, car la direction ne pouvait se permettre d'abolir ses privilèges d'admission, étant donné la pénurie actuelle de neurochirurgiens dans l'hôpital.

– Exact! dit Pierre. C'est René qui t'a mentionné ça.

Pierre la rassura. Il rencontrerait Côté pour lui rappeler ses responsabilités, sinon des mesures appropriées seraient prises en temps opportun.

Elle se leva et vit la nouvelle acquisition de son frère.

– Tu viens d'acheter un autre Le Sauteur !

– Comment la trouves-tu ?

Claire s'avança vers le mur pour examiner de plus près la toile intitulée *Espoir.*

– C'est un artiste extraordinaire ! ajouta-t-elle.

Elle lui demanda s'il s'était procuré cette toile à la galerie d'art *Michel-Ange,* dans le Vieux-Montréal.

– Bien sûr ! Je suis un client fidèle, après tout !

Claire se retourna pour l'embrasser.

– Avant d'oublier, je voulais t'aviser que nous ne pourrons être des vôtres à la veille de Noël.

– Oui, je suis au courant. Philippe m'a appris hier que vous aviez un empêchement d'ordre diplomatique.

– Il t'a dit « d'ordre diplomatique » ? fit-elle en se demandant pour quelles raisons Philippe avait employé cette expression.

– Oui ! Ce n'est pas le cas ?

– Non, non, mais oublie ça. Disons qu'effective-ment, on peut qualifier ainsi la rencontre. Excuse-nous auprès d'Isabelle, nous n'avons pas vraiment le choix.

– Je comprends, Claire. Surtout que ces temps-ci, ton mari brasse de grosses affaires ! dit-il d'un air nar-quois.

Claire haussa les épaules :

– Il a décidé de sauver Sainte-Famille ! J'espère seulement qu'il ne te met pas dans l'eau bouillante ?

– Ne t'inquiète pas, je suis assez grand pour me défendre !

– Bonne journée alors ! Et, je te remercie de t'oc-cuper du docteur Côté.

– Je l'appelle à l'instant.

* * *

En retournant aux archives, Claire prévint sa se-crétaire qu'elle s'en allait et informa son adjointe de la décision prise à propos du docteur Côté. France, satisfaite, voyait déjà toutes ses demandes de renseignements traitées dès les premiers jours du mois de janvier. Claire en profita pour lui dire qu'elle lui confiait le service des archives médicales pour le reste de la journée.

Claire sortit de l'hôpital et s'en alla vers la rue Rachel. Elle s'arrêta dans un charmant petit restaurant portugais où elle commanda un sandwich au poulet, une salade de chou ainsi qu'une bouteille d'eau de source. Une fois son repas terminé, elle se rendit à la Bibliothèque nationale du Québec, à l'angle des rues Mont-Royal et de L'Esplanade.

La veille du jour de l'An, Philippe et elle recevaient parents et amis. Depuis quelques semaines, elle travaillait à la préparation de cet événement qu'elle souhaitait grandiose. Le repas, ainsi que le service, avaient été confiés à un traiteur. Avec son aide, elle avait composé un menu de sept services. Le traiteur se présenterait à la maison vers quatorze heures pour veiller aux derniers préparatifs. Elle avait adressé des invitations officielles aux parents et amis qu'ils souhaitaient réunir. Pour l'occasion, elle s'était procuré du papier à lettres bleu et argent. Elle y inscrirait le menu du soir qu'elle roulerait et passerait dans une petite bague argentée pour que tous les invités aient un souvenir du menu servi en cette veille du jour de l'An.

Dix-huit personnes avaient confirmé leur présence.

Vers treize heures, elle entra à la Bibliothèque. Le gardien lui remit une carte d'identification ainsi qu'une clé et un cadenas pour qu'elle puisse déposer son manteau et ses bottes dans un casier au vestiaire. Près de la salle de documentation, une odeur acide lui chatouilla amèrement les narines.

Elle mentionna au préposé qu'elle désirait consulter environ vingt-cinq éditions du journal *La Presse* parues au cours des soixante-dix dernières années. Claire souhaitait faire une surprise à ses invités : leur remettre, au cours du repas, la une de *La Presse* parue la journée de leur naissance.

Le préposé lui indiqua le fonctionnement de la visionneuse. Elle consacra le reste de l'après-midi à photocopier les pages et elle s'amusa à imaginer la réaction de chacun.

Il était dix-huit heures lorsque Claire termina ses recherches. Au comptoir de prêt, elle remit les deux dernières boîtes de microfilms à la préposée.

– Vous avez réussi à retracer tout ce que vous désiriez ? demanda-t-elle.

– Oui, je vous remercie. J'ai l'impression d'avoir effectué un voyage dans le temps, répondit Claire.

Une fois dehors, pour retourner à l'hôpital Claire reprit la rue Mont-Royal. Il faisait encore très doux ; la neige tombée la veille avait déjà disparu. Tout en marchant, elle prit son cellulaire et tenta de rejoindre Philippe.

– Philippe St-Laurent !

– Bonjour, chéri. Où es-tu ?

– Je suis encore dans le stationnement. Je viens d'entrer dans la voiture. Et toi ?

– Je suis sur la rue Mont-Royal, en direction de l'hôpital.

– Ah oui ! Veux-tu bien me dire ce que tu fais là ?

– Surprise !

– Toi et tes surprises ! Je vais t'attendre, qu'en dis-tu ?

– Bonne idée.

– Dînons-nous en ville ? proposa-t-il.

– Excellente suggestion ! Je suis complètement crevée.

– Écoute, j'appelle Lise pour l'avertir de ne pas nous attendre.

– Parfait. Je vais être dans le stationnement dans dix minutes.

– Je t'attends !

Il raccrocha et appela Lise. Puis, il téléphona au restaurant *Chez Lévêque.*

– Bonsoir ! docteur St-Laurent à l'appareil. Avez-vous une table disponible pour deux, ce soir ?

– Oui, docteur, nous en avons une à l'avant. Est-ce que cela vous convient ?

– Tout à fait !

– Nous vous attendons pour quelle heure ?

– Dans un quart d'heure.

– Très bien.

– À tantôt !

Au moment où Philippe fermait son cellulaire, Claire arriva dans le stationnement, une pile de feuilles sous le bras. Elle entra dans la voiture, un peu essouf-flée.

– Veux-tu bien me dire ce que tu fais avec tout ce papier ? demanda Philippe, un peu perplexe.

– Ah ! c'est une surprise ...

– Allez, dis-le-moi ! Qu'est-ce que c'est exactement ?

– Ah !... Ceci a rapport avec notre souper du jour de l'An, répondit-elle tout excitée, mais visiblement fa-tiguée.

– J'ai l'impression que tu en fais un peu trop ! reprit Philippe.

– Voyons donc, Philippe. J'ai tellement de plaisir à organiser cette soirée. Si j'avais eu plus de temps, j'en aurais fait davantage.

– Davantage ! s'exclama Philippe. Je trouve qu'il y en a déjà beaucoup ! Écoute, Claire, tu travailles comme tout le monde et tu te tapes un événement digne des gens riches et célèbres.

Claire, décontenancée par l'affirmation de son mari, fit remarquer :

– Nous ne sommes pas tellement pauvres.

– Ouais, tu as bien raison.

Philippe se dirigea vers la rue Laurier, où il réussit à garer sa voiture en face du restaurant.

En ouvrant la portière, la peur de voir Caroline lui traversa l'esprit. Il ne l'avait pas rencontrée aujourd'hui, ayant passé presque toute la journée à la faculté de médecine à réviser le contenu d'un cours qu'il s'apprêtait à donner à la session d'hiver. Cette révision aurait dû être terminée il y a six semaines. Mais depuis un certain temps, il remettait constamment l'échéance.

Claire et Philippe entrèrent dans le restaurant.

– Bonsoir, docteur St-Laurent. Bonsoir, Madame. Vous allez bien ?

– Très bien, répondirent-ils.

– Puis-je prendre vos manteaux ?

Philippe aida Claire à se débarrasser de son manteau, il enleva le sien et les donna au propriétaire.

– Veuillez me suivre, invita le propriétaire tout en les amenant à leur table.

– Bien occupé, docteur ? demanda-t-il pendant que Philippe prenait place.

– Oui, disons que je travaille sur plusieurs dossiers ces temps-ci.

Le propriétaire se pencha vers Philippe :

– Qu'est-ce qui se passe avec Sainte-Famille ? La fusion va-t-elle se réaliser un jour, ou est-ce que c'est peine perdue ?

– Ah ! Vous savez, c'est l'histoire de ma vie. Disons que nous travaillons très fort pour annuler ce projet de fou, mais je vous garantis que ce n'est pas facile et surtout pas de tout repos.

– En tout cas, je vous souhaite de gagner la partie, la population est de votre côté. Vous savez, dans le quartier, les gens ne parlent que de ce sujet.

– Êtes-vous sérieux ? s'étonna Philippe.

– Écoutez, c'est un vrai téléroman, votre histoire. Déménage, déménage pas, on remet en question la vocation, on construit un mégacentre hospitalier dans le Vieux-Montréal.

Claire regarda Philippe.

– Effectivement, cela n'a plus de sens. Je suis même certaine que la journée où ce problème-là sera résolu, les gens vont être déçus, en commençant par les journalistes parce qu'ils n'auront plus d'articles à écrire.

– Que dire de Charuault dans *La Presse*? Ces temps-ci, ses éditoriaux ne portent que sur Sainte-Famille, ajouta Philippe.

– Vous avez bien raison, approuva le propriétaire.

– Ne vous inquiétez pas! Si nous pouvons finir par convaincre les instances gouvernementales... On va fêter ça!

– Parlez-moi de quelqu'un de convaincu. Vous l'êtes tellement que vous allez réussir.

– Ah! Je vous assure que la partie est loin d'être gagnée d'avance. Je dois passer par-dessus bien des gens pour faire valoir notre point.

Le propriétaire se frotta les mains avant de poursuivre.

– Pouvons-nous vous offrir un apéro?

Philippe choisit un gin-soda et Claire, contrairement à son habitude, commanda un margarita. Le propriétaire annonça que Jean-Claude ferait le service et leur souhaita une excellente soirée. Pendant qu'il s'éloignait de la table, Philippe s'avança vers Claire.

– Un margarita?

– Oui, un margarita! répondit-elle en haussant les épaules. Est-ce que ça te pose un problème?

– Non, mais est-ce que ça signifie que tu commences à avoir le goût d'aller dans les Caraïbes?

– Je n'y avais pas pensé, ça pourrait être une excellente idée!

Philippe déplia sa serviette de table pour la déposer sur ses genoux et ajouta :

— Il faudrait y songer sérieusement si nous voulons partir en février... je dois avouer cependant qu'il va m'être difficile de m'absenter toute une semaine, cet hiver, étant donné les circonstances.

— On verra, Philippe.

Elle lui prit la main, puis lui jeta un regard doux.

— Quelle bonne idée d'avoir pensé à venir ici ce soir.

— Et d'avoir pensé à me rejoindre ! continua Philippe en posant son autre main sur la sienne.

— Oui, c'est vrai. Nous serions sûrement à Saint-Lambert si je ne t'avais pas téléphoné à la sortie de la Bibliothèque.

— Tiens ! s'exclama Philippe. C'est là que tu te cachais cet après-midi.

Claire, déçue, baissa les épaules.

— Je viens de m'échapper encore une fois.

Philippe se mit à rire.

— Ma chérie ! Tu as beau être une excellente archiviste médicale, je n'en reviens pas à quel point tu es incapable de conserver un secret. Tu dis tout ! C'est extraordinaire ! Je n'ai pas à m'inquiéter, je sais qu'un jour ou l'autre, je saurai la vérité.

— C'est vrai, tu as bien raison. Sauf que tu ne sais pas encore ce que j'y faisais. Pas vrai ?

— *Right.*

— Donc, on s'entend pour dire que tu n'es pas encore au courant de tout ?

Le regardant amoureusement, elle ajouta :

— Qui sait si je n'ai pas une aventure avec le directeur des archives de la Bibliothèque ?

Philippe, amusé :

— Tu ne serais jamais capable de me faire ça.

— Hum, je ne sais pas... peut-être que oui, peut-être que non. Vu tes nombreuses absences, je pourrais être en mesure de te tromper et tu ne t'en apercevrais même pas.

Philippe la regarda et devint sérieux.

– En serais-tu capable, Claire?

– Bien sûr que non, mon amour! Tu sais combien je t'aime.

Elle devint sérieuse à son tour.

– Je suis tellement heureuse avec toi, Philippe. Sois assuré que je ne te tromperai jamais. Je ne peux m'imaginer vivre sans toi. Considère tout ce que nous avons bâti ces dernières années : notre relation, les enfants, ma carrière, ta notoriété; il faut être deux dans une telle aventure. Et je crois que nous pouvons dire que nous avons réussi jusqu'à maintenant. Pas vrai?

Philippe l'écoutait attentivement.

– Tu as raison, répondit-il mal à l'aise.

Il tourna légèrement la tête vers l'extérieur et remarqua *La Spaguettata,* de l'autre côté de la rue. En juillet dernier, pour l'anniversaire de naissance de Caroline, il y avait passé toute une soirée en sa compagnie. Son cœur se serra en pensant à l'angoisse ressentie tout au long de ce souper, à la peur de rencontrer des amis. « Quelle imprudence j'ai fait en me retrouvant avec elle dans un lieu public si près de l'hôpital. Et si j'avais rencontré des gens qui nous connaissaient? Ils n'auraient pas été dupes; être au restaurant un vendredi soir en tête-à-tête avec mon infirmière... » n'arrêtait-il pas de se dire.

Malgré ses inquiétudes, il n'avait vu personne. Caroline, elle, s'en moquait; elle souhaitait le contraire.

Le serveur arriva avec les deux apéritifs et arracha Philippe à ses pensées.

– Voici un margarita pour Madame et un gin-soda pour Monsieur.

Il joignit ses mains et regarda Philippe et Claire.

– Avez-vous eu la chance d'examiner le menu? demanda-t-il.

– Non, pas vraiment ! répondit Philippe.

– Je vous laisse quelques minutes et je reviens.

– Merci !

Claire et Philippe consultèrent le menu. Pour l'entrée, Philippe choisit un chèvre chaud sur pain croûté, et Claire des rosettes de saumon fumé. Comme plat principal, ils portèrent leur choix sur un carré d'agneau à la crème d'ail et des flageolets, et Philippe consulta la carte des vins.

Le serveur revint à la table prendre note leur commande. Une fois qu'il fut éloigné de la table, Philippe regarda Claire.

– Parle-moi donc de ta journée.

Pendant que Claire lui racontait les péripéties de son avant-midi, il se demandait pourquoi cette incapacité de se décider. Il était si bien en ce moment avec elle. En plus, elle ne méritait pas qu'il agisse ainsi. Il se le répétait sans cesse depuis deux ans mais, là, il devait choisir. Claire ou Caroline ?

Caroline faisait l'amour comme une déesse. Passionnée, voire endiablée. Combien de fois s'étaient-ils retrouvés dans des endroits auxquels personne n'aurait pensé ?

Un jour, au *Shed café*, elle lui avait donné rendez-vous aux toilettes. Il était entré, elle avait verrouillé la porte, puis ils s'étaient aimés sans retenue. Au moment où il sortait, trois filles qui patientaient devant la porte le regardèrent un peu étonnées, pensant qu'il s'était trompé de pièce tout simplement. Mais quelle ne fut pas la surprise lorsque, quelques secondes plus tard, Caroline sortit à son tour.

Philippe revint à lui.

– C'est vraiment bon, dit-il en prenant une gorgée de vin.

– Dans mon cas, le saumon était sublime, ajouta Claire en posant ses couverts. Elle avança son buste vers la table, prête à lui poser une question.

– Philippe, je suis inquiète.

– Pourquoi?

– Je t'en ai parlé hier soir, mais on n'a pas réussi à faire le tour de la question.

– Quoi, Claire? demanda-t-il, un soupçon d'impatience dans la voix.

– Je ne te sens pas très présent depuis quelque temps. Tantôt, tu me sembles en pleine forme; tu es de bonne humeur, tu me taquines. Puis, subitement, tu deviens silencieux, insensible, voire impénétrable.

– Je ne suis pas d'accord, Claire! Je suis juste épuisé.

Le serveur s'avança vers la table.

– Vous avez terminé?

– Oui!

– Vous avez apprécié?

– C'était excellent! répondit Philippe.

Le serveur s'éloigna à peine quelques secondes et revint à la table pour verser du vin.

L'air grave, Philippe regarda Claire en lui prenant les deux mains.

– Claire, ces temps-ci, je suis vraiment préoccupé.

– Préoccupé de quoi, Philippe?

Il sentit soudain le courage de tout dévoiler sur son aventure avec Caroline.

*   *   *

Or, à l'instant où Philippe s'apprêtait à tout révéler à Claire, il aperçut Caroline, devant le restaurant, accompagnée d'un homme qu'il semblait connaître. Son cœur chavira et son visage s'empourpra au point qu'il eût peur que Claire s'en aperçoive. Au même moment, Caroline vit Philippe. D'un réflexe naturel, elle tourna légèrement la tête afin d'examiner la personne qui était avec lui. Reconnaissant Claire, elle continua sa route sans s'arrêter.

Claire ressentit le malaise de Philippe. Elle le considéra, puis son regard se posa sur la chevelure d'une passante.

– C'est Caroline? interrogea-t-elle.

– Oui, je crois! dit-il, feignant l'indifférence.

Claire le fixa à nouveau.

– Tu es bien rouge, tout d'un coup! Ça va?

– Oui, oui, Claire, répondit-il d'un ton sec.

– Mais quoi? Je te pose une question. Pourquoi réagis-tu de cette façon?

– Claire, cesse de me poser des questions. Je suis fatigué. Un point, c'est tout.

Il décida de ne rien dévoiler maintenant, surtout au restaurant. Et, il y avait le jour de l'An. Il ne pouvait lui faire un tel aveu avant cette fête, elle qui travaillait tant à organiser cette soirée.

Le serveur apporta les deux plats principaux et en profita pour remplir les verres.

– Bon appétit, Claire.

– Merci, lança-t-elle d'une voix faible.

Elle était devenue songeuse.

Ils demeurèrent silencieux jusqu'à la fin du repas. Philippe ne cessait de penser à Caroline. Et aussi à l'homme qui déambulait avec elle. Est-ce que sa maîtresse le cocufiait à son tour? De son côté, Claire mangea son carré d'agneau sans rien ajouter. Elle commençait à se demander si Caroline avait affaire avec l'humeur de Philippe, ces derniers temps.

* * *

Le lendemain matin, Caroline se réveilla à neuf heures et demie. Une fois debout, elle se rendit à la porte récupérer son journal et retourna à la cuisine préparer son petit déjeuner.

La sonnerie du téléphone l'arracha à sa lecture.

– Oui bonjour !

– Bonjour, c'est moi, dit Philippe.

– Où es-tu ?

– Je m'en vais chez *Provigo* faire une course.

– Tu es seul ?

– Bien sûr ! Sinon je ne t'appellerais pas !

« Évidemment. Qu'est-ce que je pense à la fin ? » songea-t-elle.

– Que fais-tu ? demanda-t-il.

– Je suis en train de lire le journal.

– Ah bon. Tu as passé une bonne soirée, hier ?

– Excellente ! répondit Caroline, feignant de ne pas comprendre où il voulait en venir. Et toi ?

– Moyenne. Disons qu'hier soir, j'aurais plutôt apprécié être avec toi.

– Ah ! Réconforte-toi à l'idée que, jeudi prochain, nous allons passer une soirée mémorable...

– Je n'arrête pas d'y penser. J'aimerais tellement qu'on soit déjà jeudi !

– Sois patient, Philippe.

Caroline jouait avec le fil du téléphone, heureuse de réagir ainsi. Philippe, incapable de tourner autour du pot, lui posa la question qui lui brûlait les lèvres.

– Qui était le gars avec qui tu marchais hier soir ?

Caroline se mit à rire.

– Es-tu jaloux par hasard ?

– Non, mais ça m'intrigue.

– Dis-moi, Philippe St-Laurent, as-tu peur que ta maîtresse te trompe ?

– Premièrement, tu n'es pas ma maîtresse mais plutôt une relation particulière ! dit-il violemment.

– Une relation particulière ? s'exclama-t-elle. J'aurai tout entendu, ma foi du bon Dieu !

– Caroline ! soupira Philippe.

– Oui, dit-elle, impatiente.

– J'aimerais te voir aujourd'hui !

– Aujourd'hui?

– Oui, aujourd'hui! J'aimerais m'expliquer pour ce qui s'est passé jeudi. Tu ne m'as pas donné la chance de tout raconter.

« Quel con! » pensa-t-elle.

– J'aimerais tellement commencer la semaine du bon pied, ajouta-t-il.

– Je regrette, Philippe. Aujourd'hui, c'est totalement impossible. J'ai les fêtes à préparer et j'ai promis à ma mère d'aller magasiner.

Il revint à la charge.

– Qui était ce gars avec lequel tu marchais rue Laurier?

– Un ex-collègue infirmier, répondit-elle avec nonchalance.

– Vous avez fait quoi?

– Nous avons fait l'amour comme des bêtes. Toute la nuit, à part ça!

– Cesse de te moquer de moi, Caroline!

– Tu es pas mal curieux, Philippe St-Laurent!

– Bien, c'est normal! Tu ne trouves pas?

– Est-ce que je t'ai demandé ce que tu as fait avec ta femme hier soir? rétorqua-t-elle.

– D'accord, ça va. Je vois que tu ne veux pas en parler. Bon, tu ne changes pas d'idée?

– Non, Philippe!

– C'est regrettable. Je t'aurais fait vivre un après-midi d'enfer.

– Tant pis. On se reprendra jeudi soir.

– Alors, dans ce cas-là, je te laisse. Je suis arrivé au *Provigo.* Bonne fin de semaine.

– À toi aussi.

CHAPITRE VII

Une soirée inoubliable

En ce jeudi matin, Philippe alla récupérer son courrier comme il en avait l'habitude. Parmi les demandes de consultation, les rapports d'examen et autre correspondance, une seule enveloppe, de couleur bleu foncé parsemée de fines parcelles argentées, attira son attention. Certain que cette enveloppe provenait de Caroline, Philippe l'ouvrit.

L'invitation mentionnait ceci :

Cher docteur St-Laurent!

Vous désirez fêter le jour de l'An huit jours plus tôt?

Il me fait plaisir de vous convier à une soirée mémorable dans l'atmosphère des chandelles, canapés, champagne et s...

Je vous prie de vous présenter à l'endroit habituel, le jeudi 23 décembre à 17 h.

Demandez la suite 800.

Votre humble amoureuse!

Sourire aux lèvres, Philippe remit le carton dans l'enveloppe et déchira celle-ci pour détruire toute pièce à conviction et il sortit de la salle du courrier des médecins.

Au cours de la semaine, il avait consacré plusieurs heures à préparer sa rencontre du 5 janvier avec la sous-ministre de la Santé. La soirée qu'il s'apprêtait à passer dans les bras de Caroline lui enlèverait sûrement une bonne partie de la tension accumulée ces derniers temps. Il se demandait comment il pourrait se passer d'elle.

La journée se déroula normalement. Philippe avait été attentionné envers Caroline. Cependant, une certaine nervosité l'avait envahi à la pensée de la soirée qu'ils allaient passer ensemble. C'est le genre de situation que Claire ne créait pas dans leur couple ; ce petit côté interdit qu'il aimait tant.

Philippe vit son dernier patient à seize heures ; une consultation d'à peine vingt minutes. Avant de partir pour l'hôtel, il fit un appel au service des communications pour vérifier ses messages. Seule l'urgence désirait lui parler. La téléphoniste le transféra. Il souhaita qu'il n'y ait rien de grave ; il devait quitter absolument dans les prochaines minutes s'il voulait être fidèle à son rendez-vous.

– Urgence ! répondit la réceptionniste.

– Bonjour. Docteur St-Laurent. Vous avez une consultation pour moi ?

– Un instant, docteur, je vérifie.

La réceptionniste le mit en attente puis revint.

– Le docteur Béliveau désirait votre opinion sur un cas qui est arrivé vers treize heures. Tout est maintenant sous contrôle : il a réussi à parler au docteur Lepage.

– Je peux donc m'en aller la tête tranquille ?

– Vous avez ma bénédiction !

– Bonne soirée, dit-il.

Il prit son manteau, salua Josette, et hâta le pas. Voyant qu'il n'y avait aucune voiture disponible à l'entrée du pavillon De Maisonneuve, il héla un taxi :

– Le *Ritz Carlton*, s'il vous plaît ! demanda-t-il au chauffeur.

L'heure de pointe était bien installée rue Peel. Il arriva à l'hôtel à seize heures quarante-cinq.

– Sept dollars, demanda le chauffeur.

– Voici huit. Gardez la monnaie.

– Merci, fit le chauffeur.

Philippe pénétra dans l'hôtel et balaya du regard le hall d'entrée. Rassuré de ne voir aucune connaissance, il se présenta à la réception, au comptoir réservé aux membres de la chaîne hôtelière.

– Bonjour, Philippe St-Laurent. J'ai une réservation pour ce soir.

– Un instant, Monsieur St-Laurent.

La préposée étira le bras et prit la pochette de préinscription. Puisqu'il était membre de la chaîne hôtelière, tous les renseignements étaient déjà dans le fichier central ; l'inscription ne consistait qu'à signer la fiche d'enregistrement.

Elle lui présenta la carte magnétique.

– Voici la clé de la suite 800, Monsieur.

– Merci beaucoup.

La préposée, ayant perçu une certaine nervosité chez son client, ajouta :

– Nous vous souhaitons un bon séjour au *Ritz Carlton* !

Sans perdre un instant, Philippe se dirigea vers l'ascenseur. En l'attendant, il ne put s'empêcher de se retourner discrètement afin de jeter un dernier coup d'œil au hall d'entrée.

Quelques secondes plus tard, il se retrouva devant la suite 800. Il inséra la carte dans le lecteur magnétique et la porte s'ouvrit instantanément.

En entrant, il fut séduit par l'aspect royal de cette immense pièce décorée dans les tons de rose pourpre.

Sur une jolie table ronde drapée d'une belle nappe en lin de couleur ivoire, un vase en cristal contenait une magnifique gerbe de roses rouges. Une petite enveloppe était posée au pied du vase.

Puis son regard se porta vers la table à café située face au foyer qui laissait échapper une douce chaleur. Un seau à glace contenant la bouteille de champagne, deux flûtes, une assiette en cristal contenant du chocolat noir et une pièce d'argenterie cachant de belles fraises rouges y étaient disposées.

À sa gauche, il remarqua les somptueuses portes françaises qui s'ouvraient sur une chambre où il vivrait sûrement l'extase au cours de cette soirée si attendue. Il y pénétra et vit, près d'un des oreillers, un colis enveloppé d'un papier bleu et argenté. Sans l'ouvrir immédiatement, il continua à faire le tour en prenant soin de vérifier, à l'intérieur de chaque placard, si Caroline ne s'y cachait pas. Voyant qu'elle n'était pas arrivée, il retourna au salon.

« Quelle belle soirée en perspective ! » pensa-t-il en se frottant les mains.

Ses yeux se posèrent sur la gerbe de roses et, sans perdre un instant, il décacheta l'enveloppe. Une fois le carton dans les mains, il lut à haute voix.

Mon amour,

Je m'excuse de ce léger contretemps. En m'attendant, rends-toi dans la chambre ; tu y trouveras un petit présent spécialement pour toi, déposé près d'un des oreillers. J'apprécierais que tu l'ouvres et que tu suives mes indications.

En passant, débouche la bouteille de champagne et sers-toi un verre.

À plus tard !

Ta belle amoureuse !

Philippe sourit et alla dans la chambre.

Il ouvrit la boîte tranquillement. Une note était déposée à l'intérieur du papier de soie :

À toi très cher,

Tu trouveras, dans ce papier de soie, un vêtement que j'aimerais que tu portes sur-le-champ.

SVP, attends-moi dans cette tenue.

Ton amoureuse.

P.S. : N'oublie pas d'avoir ton verre de champagne à la main!

Se mordillant la lèvre inférieure, il déplaça légèrement le papier de soie bleu et argenté. Quelle ne fut pas sa surprise lorsqu'il vit une grenouille. Il prit dans ses mains l'objet saugrenu et, tout à coup...

– Mais qu'est-ce que ce truc?

Deux pattes pendouillaient. Derrière celles-ci, il y avait un petit sac.

Intrigué, il tourna le morceau dans tous les sens. Et, quelques instants plus tard, il réalisa que la grenouille était un cache-sexe pour homme.

– Oh non! Ne me dis pas qu'elle veut que je mette ça, estomaqué par ce cadeau de mauvais goût.

Toutefois, Philippe se déshabilla sans plus tarder pour qu'elle puisse le voir dans cet accoutrement à son son arrivée. Essayant tant bien que mal d'enfiler ce cache-sexe, il finit par le placer dans le sens prévu. La face de la grenouille était bien accolée au pubis, les pattes pendouillaient derrière, cachant son membre visiblement excité et le reste... dans le petit sac.

Étonné de se voir ainsi vêtu, il s'avança vers le miroir de la salle de bain pour admirer ce nouveau déguisement.

– Si on me voyait dans cet accoutrement, je serais la risée de tout l'hôpital, c'est garanti!

Il se retourna de gauche à droite afin d'admirer son profil. Il avait fière allure avec le visage de la grenouille bien en vue et les deux pattes tombant jusqu'à mi-cuisse.

Au salon, il remarqua qu'il était dix-sept heures cinq. Il songea qu'elle devrait arriver bientôt. Il extirpa la bouteille du seau à glace, fit sauter le bouchon et se versa du champagne.

La sonnerie du téléphone le fit sursauter. Hésitant, il se ravisa au cas où cet appel proviendrait de Caroline. Dès qu'il répondit, il entendit raccrocher. Intrigué par cet appel anonyme, il tenta de se changer les idées en prenant une gorgée de champagne et en goûtant quelques fraises.

Quelques secondes plus tard, il entendit frapper à la porte. Souriant, il versa le champagne dans la deuxième flûte, remplit à nouveau la sienne, et se dirigea vers la porte. Il ouvrit sans plus attendre.

Quel ne fut pas sa surprise lorsqu'il vit Caroline, déguisée en Pierrot, faire irruption dans la suite. Spontanément, Philippe se mit à se dandiner devant elle tout en l'invitant du regard à observer ce qu'elle lui avait offert. N'obtenant aucune réaction, un doute s'installa dans son esprit quant à l'identité de la personne qui semblait vouloir lui lire une missive.

– Est-ce toi, Caroline ? demanda-t-il.

– Non, Monsieur !

Le visage de Philippe s'empourpra et la fureur put se lire dans ses yeux. Pour sa part, le Pierrot, une femme du même gabarit que Caroline, surprise de se faire recevoir par un homme dans cette tenue, s'apprêta à chanter le texte inscrit sur son parchemin.

Or, au lieu des mots, c'est la grenouille qui attira toute son attention. Elle dut faire preuve d'une force surhumaine pour se concentrer sur le texte qu'elle devait chanter à l'homme le plus mal à l'aise qu'elle eût jamais rencontré au cours de sa jeune carrière.

Sur l'air de la chanson « Ce n'est qu'un au revoir », elle s'exécuta avec un sourire dans la voix.

Ce n'est que la fin d'une année
Oh oh oui! mon cher Philippe
J'espère que tu vas réussir
À savoir ce que tu veux
J'espère que tu comprendras
Que j'ai droit au bonheur!
Je veux maintenant être heureuse
Pour cette nouvelle année.

Le Pierrot arrêta de chanter et, sans dire un mot, lui remit le papier parchemin et un paquet enveloppé dans du papier de soie bleu et argenté. « Décidément, tout est bleu et argent... »

Considérant le cache-sexe dont il était vêtu et le texte chanté par une femme qu'il ne connaissait pas, un mauvais pressentiment jaillit dans son esprit. Il lui laissa entendre qu'il n'avait pas de monnaie et le Pierrot quitta immédiatement la pièce, puis Philippe déroula le parchemin.

Ce n'est que la fin d'une année
Oh oh oui! mon cher Philippe
J'espère que tu vas réussir
À savoir ce que tu veux
J'espère que tu comprendras
Que j'ai droit au bonheur!
Je veux maintenant être heureuse
Pour cette nouvelle année.

– Qu'est-ce que ça signifie? dit-il, visiblement troublé.

Il déposa le colis sur la console de l'entrée et se précipita vers la salle de bain enfiler un peignoir avant de retourner au salon. Il ouvrit le paquet et découvrit une vidéocassette. Son cœur se serra avec l'intuition que cela n'annonçait rien de bon.

Caroline apparut à l'écran. Il n'y avait aucun doute que le film avait été réalisé chez elle; il reconnaissait le mobilier de son salon.

– Bonjour, Philippe! commença-t-elle. Je suis certaine que tu seras étonné de me voir par l'entremise de cet enregistrement plutôt qu'en personne. Comme tu le sais, ces deux dernières années ont été, pour nous, une série de montagnes russes. Bien que tu m'aies dit au début de notre relation que tu ne laisserais jamais Claire, j'ai toujours gardé l'espoir que tu changerais d'idée. Malheureusement, je n'ai pas réussi à te convaincre. Ne suis-je pas assez bien pour toi? Permets-moi d'en douter. Ce dont je suis sûre, par contre, c'est de mon désir de fonder une famille, soit me marier et avoir des enfants. Philippe, je te libère et je te laisse complètement à ta femme.

– Bon, ça y est! dit Philippe. Elle recommence!

Il écouta la suite du film.

– Maintenant, j'ai une autre nouvelle à t'annoncer.

Le cœur de Philippe se serra à nouveau.

– Elle l'a dit à Claire! s'exclama-t-il.

– Je t'annonce que je quitte officiellement mon poste en gastro-entérologie pour aller travailler avec l'équipe du docteur Bousquet au centre de recherche, à la clinique des lipides.

Philippe se leva.

– Ah non! Qu'est-ce qui lui prend? ajouta-t-il en marchant de long en large dans la pièce.

Elle continua à parler.

– Je suis en vacances à compter de ce soir jusqu'au 4 janvier. Je reviendrai au bureau le 4 au matin jusqu'au 7 afin de clore mes dossiers. Si tu y vois un inconvénient, laisse-moi un message dans ma boîte vocale au bureau de la clinique de Berri. Je suis persuadée que tu comprendras ma démarche, Philippe. Je ne suis plus capable de supporter cette façon de vivre, j'ai droit au bonheur, moi aussi. Ce que je te demande en retour, c'est de ne pas me harceler pour que je revienne sur ma décision. Pour moi, c'est terminé.

Caroline s'avança légèrement vers la caméra et regarda droit devant.

– Adieu, Philippe!

L'écran se brouilla. L'enregistrement se terminait ainsi.

Il se leva et pressa la touche pour rembobiner la cassette puis alla se rasseoir dans la causeuse, abasourdi.

Il prit le téléphone et composa le numéro de Caroline. Quatre coups de sonnerie se firent entendre.

– Naturellement, elle ne va pas répondre! dit-il à haute voix, le cœur battant à tout rompre.

Le message se fit entendre : « Bonjour! Vous avez rejoint la boîte vocale de la famille Léveillée. S'il vous plaît, laissez-nous un court message et nous vous rappellerons dès que possible. Merci et à bientôt! »

Après avoir entendu la tonalité qui invitait l'appelant à laisser un message, il s'exécuta, complètement furieux.

– Caroline! Qu'est-ce qui se passe? Je viens de visionner à l'instant ta cassette. C'est tout à fait stupide de réagir de la sorte. Il n'est nullement question que tu ailles travailler pour Bousquet. Tu restes avec moi, un point c'est tout. En plus, tes menaces de me quitter, je n'en ai rien à foutre, car c'est encore du chantage que tu me fais; donc, je t'en prie...

Il changea de ton.

– ... je t'aime Caroline. Je t'en prie, ne...

Il fut interrompu par le timbre sonore indiquant la fin de l'enregistrement.

– Oh merde!

Il raccrocha et recomposa le numéro de Caroline. Quatre coups sonnèrent avant qu'il entende le message de bienvenue et qu'il puisse continuer à parler.

– Caroline, c'est encore moi. Je t'en prie, ne fous pas en l'air tout ce que nous avons réussi à bâtir au cours de ces dernières années. Tu le sais, j'ai besoin de toi.

Puis, prenant sa voix mielleuse qui faisait en général craquer Caroline, il ajouta :

— Il est dix-sept heures quarante-cinq. Je sais que tu es chez toi. Je t'en supplie, viens me rejoindre à l'hôtel. Je vais attendre jusqu'à vingt heures. Viens vite, ma chérie !

Il raccrocha et se passa les mains dans les cheveux, certain qu'elle viendrait. Sinon, qu'allait-il devenir sans elle ? Il lui faudrait former une autre infirmière...

S'approchant de la fenêtre qui donnait sur la rue Sherbrooke, il fixa le *Château Acadia,* ne souhaitant qu'une chose ; qu'elle surgisse d'un instant à l'autre. Il retourna dans la chambre et enleva son cache-sexe pour mettre son sous-vêtement.

* * *

Philippe n'en revenait pas ; Caroline l'avait quitté et il ne pouvait plus rien y faire. Voyant qu'elle ne se présenterait pas, il alla s'habiller puis revint au salon. Il prit la vidéocassette et la jeta dans la poubelle. Le feu était presque éteint ; aucune bûche n'avait été ajoutée depuis son arrivée. Il tira le pare-étincelles, prit la carte magnétique qu'il avait laissée sur la console et quitta la suite.

En attendant l'ascenseur, il se dit qu'il commettait une imprudence en laissant la vidéocassette à la poubelle. Il retourna la récupérer, la glissa dans la poche de son manteau et se rendit à la réception de l'hôtel.

— Je désire signer ma note de départ, j'ai une urgence, mentionna-t-il au préposé de la réception.

— Le numéro de votre chambre, Monsieur ?

— La suite 800.

— Un moment, je vous prie.

– Nous mettons le montant total sur votre carte de crédit ? demanda-t-il.

– Oui !

– Voici l'état de compte, Monsieur. Veuillez vérifier si tout est exact.

Ses yeux se posèrent sur le total.

– Huit cent cinquante ? s'exclama-t-il.

– Oui, Monsieur. Comme vous pouvez le constater, le prix de la suite est de quatre cent cinquante dollars, le Dom Pérignon coûte cent quatre-vingt dollars, le chocolat soixante-dix dollars et les fraises trente dollars. Un total de sept cent trente plus les taxes.

– Ça va ! lança Philippe.

« Ça n'a pas de sens, pensa-t-il. Si elle voulait me faire payer sa colère, elle a bien réussi ! Maudites belles fêtes en perspective ! »

Il sortit rue Sherbrooke et héla un taxi pour retourner à l'hôpital.

* * *

Il était vingt heures et quart lorsqu'il pénétra dans sa voiture. Il sortit la vidéocassette de la poche de son manteau, la glissa sous son siège, fit démarrer sa voiture. Près du *Café Cherrier*, il téléphona à Claire pour l'informer qu'il serait à la maison dans moins de vingt minutes.

Complètement abasourdi par ces événements, il prit la direction de Saint-Lambert.

CHAPITRE VIII

La veille de Noël

Le lendemain matin, l'hôpital demanda à Philippe de se rendre à l'urgence dans les plus brefs délais.

– À quelle heure prévois-tu revenir? demanda Claire, déçue qu'il doive aller à l'hôpital en cette veille de Noël.

– Claire! dit-il sur un ton exaspéré. Depuis le temps, tu sais bien que c'est le genre de questions auxquelles je ne peux répondre.

Prenant son manteau, il salua les enfants et quitta rapidement la maison en claquant la porte. Claire resta bouche bée. Il n'avait pas le droit de lui parler ainsi, surtout pas devant Lise et les enfants.

– Le docteur St-Laurent semble épuisé ces jours-ci? interrogea Lise.

– Je crois que oui, soupira Claire. Ces six derniers mois, il en a pris beaucoup trop lourd sur ses épaules. Qu'est-ce que tu veux que je te dise, Lise, je ne peux quand même pas gérer les dossiers à sa place!

– Vous aussi, vous me semblez fatiguée, ajouta-t-elle en servant deux tasses de café.

– Ah oui? répliqua Claire, surprise.

Lise lui fit un signe affirmatif. Consciente qu'il se passait quelque chose, elle n'avait cependant pas encore réussi à mettre le doigt dessus.

– Depuis environ un mois, je vous sens inquiète et renfermée. Puis... ce n'est pas de mes affaires, mais vous devriez prendre quelques jours ensemble. Ça vous ferait du bien.

– Voyons donc, Lise, tu exagères! rétorqua-t-elle, dérangée par ces affirmations.

– Comme vous voulez! Mais soyez avisée : je vois beaucoup plus loin que juste mettre de l'ordre dans la maison et de m'occuper des enfants. Je ressens beaucoup de choses et personne ne peut me contredire à ce sujet.

– Si tu voulais me mettre à l'envers ce matin, bien, félicitations! Tu as réussi.

Claire, sur le point de pleurer, se leva et quitta la cuisine pour aller dans sa chambre. En montant l'escalier, elle éclata en sanglots.

– Je fais tout en mon pouvoir pour qu'ils soient heureux. Qu'est-ce qui a pris à Philippe de me parler ainsi ce matin? Et Lise? Elle et ses commentaires. Je n'en peux plus!

Claire se dirigea vers la douche, fit gicler de l'eau tiède sur son visage et implora sa mère.

– Aide-moi! Il y a des choses actuellement qui sont hors de mon contrôle. Aide-moi à y voir clair. Je t'en prie!

Sa douche terminée, Claire s'habilla et s'installa à sa table de travail située dans une pièce adjacente de la chambre des maîtres. Elle posa son regard sur le golf, dont la vue imprenable laissait voir en général, à ce temps-ci de l'hiver, les fondeurs pratiquer leur sport favori.

Au son de la chanson *Have yourself a merry little Christmas*, elle sortit du tiroir les photocopies effectuées le vendredi précédent à la Bibliothèque nationale, et prépara, pour chacun de ses invités, un rouleau de papier de soie bleu contenant la une de *La Presse* ainsi qu'une page d'intérêt parue la journée de leur naissance.

Elle travailla à son projet jusqu'à treize heures, puis quitta la maison pour aller chez son coiffeur. À son retour, Philippe regardait un film avec les enfants.

– À quelle heure doit-on être chez les Champagne, Philippe ?

Sans la regarder, il lui répondit, une certaine indifférence dans la voix :

– Autour de dix-neuf heures.

Claire se posta devant lui, faisant la moue.

– Quoi ?

– Je viens de m'apercevoir que Lise n'est pas disponible ce soir pour garder les enfants.

– Il commence à être temps que tu y voies ! rétorqua-t-il.

– Comme si c'était à moi seule de s'occuper de tous ces détails de la vie courante !

– Qu'est-ce qu'on fait ?

– J'ai une idée ! lança-t-elle en reprenant ses esprits.

– Laquelle ?

– Je vais appeler Pierre. Je suis certaine qu'il ne verra pas d'inconvénient à s'occuper des enfants. Après tout, il était prévu que nous soyons ensemble ce soir. Au moins, les enfants pourront jouer avec leurs cousins.

– Essaie-toi.

Claire retourna à la cuisine et téléphona à son frère. Sans grande surprise, son frère les invita à amener les trois enfants. En prime, ils dormiraient à la maison ce qui leur permettrait de s'amuser, le lendemain, avec les jouets reçus du Père Noël.

Claire raccrocha et regagna la salle familiale.

– Pis ? interrogea Philippe en la voyant s'approcher.

– Ça va ! dit-elle en examinant sa petite famille, absorbée par le film.

– Les enfants?

– Oui maman, répondirent-ils en chœur, sans la regarder.

– Ce soir, votre père et moi avons une soirée d'adultes qui ne sera pas amusante pour des enfants de votre âge.

– Ah non! lancèrent-ils, déçus de ne pouvoir accompagner leurs parents.

– Oui, mais j'ai un bien meilleur projet pour vous. Que diriez-vous d'aller faire un dodo chez votre oncle Pierre?

– Youpi! s'exclamèrent-ils.

– Allez, ouste! claqua-t-elle des mains. Dépêchez-vous, c'est l'heure du bain. Je veux que vous soyez prêts d'ici une heure!

Les petits se levèrent d'un bond et, à la course, furent dans leurs chambres en moins de deux. En un temps record, chandails, pantalons et sous-vêtements s'éparpillèrent à travers la pièce; c'était à qui serait le premier dans la baignoire.

Lise et Claire, ayant bien tenté de les suivre, arrivèrent à l'étage, essoufflées. Elles riaient toutes les deux à gorge déployée. Claire apprécia ce premier doux moment de la journée.

* * *

Philippe interrompit la diffusion du film pour regarder les nouvelles. Écoutant d'une oreille distraite, il ne cessait de penser à la veille. Pourquoi Caroline avait-t-elle mis en scène un tel scénario? Qu'avait-il donc fait pour qu'elle décide de mettre fin si abruptement à leur relation? Elle semblait avoir compris la situation la semaine auparavant. Qu'est-ce qui avait tout déclenché? Toutes ces questions auxquelles il était incapable de répondre depuis le matin...

Il avait à peine dormi la nuit précédente, revoyant sans cesse le Pierrot. « Elle m'a ridiculisé : nu comme un ver, une grenouille en soie verte ne cachant que l'essentiel. Comment ai-je pu m'engager dans une relation semblable ? » Soudain, il comprit que c'était probablement mieux ainsi. Il n'avait plus de temps à lui consacrer et Claire n'aurait pas tardé à découvrir le pot aux roses. « Pauvre Claire ! Cela tenait du miracle qu'elle ne soit pas encore au fait de cette relation », songea-t-il.

Il y avait, aussi, le dossier de Sainte-Famille. Il devait, au cours des prochains mois, y consacrer tout son temps. Il n'avait plus le choix.

Philippe s'étendit dans le fauteuil et s'endormit aussitôt.

* * *

Après avoir déposé les enfants à Saint-Bruno, Claire et Philippe prirent la route de Longueuil. À leur arrivée chez les Champagne, presque tous les invités s'y trouvaient déjà, sauf un autre couple.

– Bonjour, vous deux ! Entrez ! Entrez ! convia Monsieur Champagne.

Claire pénétra la première dans le hall d'entrée, suivie de Philippe. La maison, située dans le secteur du Parcours du Cerf à Longueuil, l'enchanta. « Payant, une compagnie de yogourt ! » pensa-t-elle.

Solange Champagne vint rejoindre son mari pour les accueillir.

– Merci beaucoup d'être parmi nous ce soir !

– C'est gentil à vous de nous recevoir, répondit Claire.

– Donnez-moi votre manteau, Claire ! demanda Monsieur Champagne.

– Venez ! Je vais vous présenter à nos invités, continua Madame Champagne en prenant le bras de Claire pour l'accompagner au salon où quatre couples discutaient du sujet de l'heure.

– Puis-je vous offrir un kir royal? demanda l'hôte.

– Bien sûr! dit Philippe, répondant pour les deux.

Claire fit un tour d'horizon rapide; le décor était superbe.

Monsieur Champagne fit, sans plus tarder, les présentations. Il y avait un avocat dont l'épouse demeurait à la maison, un couple de professeurs, un auteur de romans policiers, une psychologue, la sœur de Monsieur Champagne et son conjoint; tous les deux banquiers de profession.

Gaston Champagne présenta Philippe comme son médecin personnel et un éminent gastro-entérologue au CSUGM; plus précisément à Sainte-Famille. La femme de l'écrivain l'interpella sur-le-champ. Aux prises, depuis quelques semaines avec des problèmes de digestion, elle lui demanda un avis. Philippe respira profondément avant de la questionner. Il détestait faire des consultations à la va-vite, surtout au cours d'une soirée. Toutefois, au moment où il allait lui répondre, le carillon se fit entendre.

– Ce doit être ma filleule! s'exclama Monsieur Champagne.

Son beau-frère regarda Philippe.

– Ce n'est pas drôle, sa filleule!

– Vous la connaissez? demanda Philippe, heureux de s'esquiver.

– C'est notre fille... Comme vous le savez sans doute, Gaston et Solange n'ont pas eu d'enfant. Pour cette raison, ils l'ont, en quelque sorte, adoptée... Et puis, nous sommes tous très fiers d'elle.

– J'ai bien hâte de la rencontrer, ajouta Philippe, distinguant la voix féminine qui provenait du vestibule.

Claire conversait avec l'écrivain. Il lui racontait sa première expérience au Salon du livre de Montréal où les médias et le public avaient réservé un très bel accueil à son livre.

Le couple fit son entrée au salon et Monsieur Champagne les présenta sans plus tarder.

– Il me fait plaisir de vous présenter ma filleule, Marie-France Tousignant. Voici son conjoint, Daniel Gignac.

Pendant que l'ami de son père instruisait les invités de la récente nomination de Marie-France au ministère de la Santé et des Services sociaux, Philippe ressentit un coup de poignard lui traverser l'estomac. Avait-il bien entendu? Était-ce bien celle qu'il devait rencontrer le 5 janvier prochain? Stupéfait, il promena son regard de Monsieur Champagne à la sous-ministre. Fier de son coup, son fidèle et généreux patient lui fit un clin d'œil complice.

Philippe repassa en détail l'entretien qu'il avait eu avec Gaston Champagne, une semaine plus tôt. Toutes ses questions à propos de Sainte-Famille. Et l'invitation pour cette veille de Noël? Il n'avait rien vu venir.

Philippe se sentit mal à l'aise. Rêvait-il? La femme qu'il devait persuader au retour des fêtes s'approchait de lui.

Marie-France avait été prévenue de la présence de Philippe alors qu'elle était dans le vestibule. Mécontente d'être mise devant un fait accompli, elle avait accepté de rester, voyant l'impossibilité de rebrousser chemin.

Monsieur Champagne fit les présentations d'usage. Philippe lui serra la main et ressentit, au même moment, un autre coup à l'estomac.

Quant à Marie-France, elle ne le quitta pas des yeux avant que son oncle ne la présente aux autres convives. Philippe, subjugué par sa beauté, l'examina de la tête aux pieds et afficha, inconsciemment, un mutisme complet. Bien proportionnée, élégante, Marie-France avait les cheveux noirs, qui lui tombaient sur les épaules.

Et ce regard! Des yeux vert émeraude, comme il en avait rarement vus.

Marie-France salua Claire et s'installa dans la bergère, près de son parrain visiblement heureux d'avoir réussi ce qu'il avait eu du plaisir à imaginer au cours des derniers jours.

La conversation reprit et Philippe eut de la difficulté à se concentrer sur les propos. À chaque fois qu'il tournait la tête en direction de Marie-France, elle l'observait.

Vers vingt heures, l'hôtesse pria les invités de s'avancer vers la salle à manger. La pièce était vaste et chaleureusement décorée. Un lustre surplombait la table de chêne foncé et d'immenses draperies tombaient çà et là devant les larges fenêtres, en un heureux mariage de styles.

Chaque place ayant été préalablement assignée par les hôtes, Philippe apprit qu'il passerait la soirée aux côtés de Marie-France. Pour sa part, Claire fut assise en face de lui, entre le père de Marie-France et l'écrivain.

Madame Champagne avait choisi de séparer les couples en suivant la règle qui voulait qu'on alterne homme et femme afin de faciliter les conversations; la majorité des invités ne se connaissaient guère. Aussi, à la demande de son mari, elle avait placé Marie-France entre lui et Philippe.

Philippe et Marie-France discutèrent pendant toute la durée du repas, à un point tel qu'ils oublièrent le reste des invités. Sainte-Famille fut à peine effleuré, laissant ce sujet à l'ordre du jour de la réunion prévue pour le 5 janvier.

Juste avant le service des fromages, Philippe se rendit à la salle de bain. Il se regarda dans le miroir et se passa les mains sur le visage, ramenant ses cheveux en arrière. Il inspira profondément en s'étirant les bras puis expira.

– Ce n'est pas possible ! soupira-t-il. Qu'est-ce qui m'arrive ?

Soudain, il se mit à penser à son beau-frère et à Lapointe. « S'ils savaient qui est à mes côtés ce soir, ils seraient renversés ! » Et, se rappelant la raison qu'il avait donnée à Pierre, pour expliquer leur absence en cette veille de Noël, il sourit d'avoir visé aussi juste. Pour un empêchement d'ordre diplomatique... le mot ne pouvait être mieux choisi.

Était-ce la chance de sa vie qui se présentait à lui ? Seul l'avenir le dirait.

CHAPITRE IX

La rencontre, rue Fullum

La fête chez les Champagne se termina vers une heure trente du matin. Tous les convives semblèrent avoir apprécié la soirée. En se quittant, Philippe et Marie-France s'étaient échangé un baiser sur la joue.

Marie-France devait conserver son sang-froid. La ministre de la Santé et des Services sociaux lui avait confié un mandat tel que tous les yeux étaient maintenant rivés sur elle. Quelle serait la conclusion de son étude quant au maintien ou non du CSUGM, saga débutée quatre ans plus tôt? Marie-France devait réussir. Sa réputation en dépendait.

Dès son entrée en fonction, la ministre Boisvert lui avait précisé très clairement les objectifs à atteindre. Bien qu'elle lui eût donné carte blanche, il fallait néanmoins qu'elle respecte ses attentes. Marie-France devait revoir l'ensemble de la structure organisationnelle afin que le CSUGM prenne forme définitivement; la seule prémisse stipulait que la fusion des trois établissements de santé ne devait pas être remise en question.

Un peu surprise par l'attirance ressentie envers Philippe, Marie-France avait décidé de ne pas succomber à son charme; elle avait un travail à réaliser et elle s'en acquitterait dans les règles de l'art.

Philippe jouissait d'une chance inouïe. N'eut été l'appel placé par Monsieur Champagne immédiatement après sa consultation avec lui, Marie-France n'aurait jamais autorisé qu'une telle rencontre puisse avoir lieu entre les deux parties.

Monsieur Champagne avait été persuasif; Philippe était un médecin de Sainte-Famille, de grande réputation. En tant que président du CMDP, il avait son mot à dire dans ce processus de fusion, mais surtout une solution à proposer. Si elle voulait connaître l'ensemble de la situation, c'était incontournable; elle devait le rencontrer.

Marie-France n'appréciait pas qu'on lui force la main. Bien qu'elle ait acquiescé à la demande de son parrain, elle émit une réserve; elle n'accepterait plus aucune requête de sa part concernant Sainte-Famille. Monsieur Champagne avait ajouté qu'une menace de démission en bloc des médecins planait sur l'hôpital si le Ministère s'entêtait à vouloir unir les trois centres hospitaliers. Grimaçant suite à ce commentaire, elle avait répliqué que ce n'était pas les menaces des docteurs qui lui dicteraient la voie à suivre; ni à elle ni à la ministre, et surtout pas au premier ministre.

Son oncle avait clos l'entretien en lui précisant que le docteur St-Laurent était le fils de son meilleur ami et lui avait fait promettre d'être présente la veille de Noël.

* * *

Déjà six semaines s'étaient écoulées depuis qu'elle occupait ce poste. Elle avait réussi à rencontrer tous les fonctionnaires ayant eu à travailler de près ou de loin au dossier du CSUGM au cours des quatre dernières années. Une embûche de taille se dessinait à l'horizon. Il lui apparaissait évident qu'elle n'obtiendrait pas leur collaboration, ayant ressenti, dès les premières réunions, qu'ils la considéraient comme une intruse. Qui était-elle pour venir juger de ce qu'ils avaient proposé avant son arrivée? Si elle allait à l'encontre de leurs conclusions, sur quoi se baserait-elle? Elle n'était ni médecin ni gestionnaire dans le milieu de la santé. Comment pourrait-elle se prononcer sur ce qui serait bon pour le CSUGM et faire un constat juste de la situation, et ce, dans l'intérêt de la population?

Marie-France ne tarda pas à se questionner. Aurait-elle dû refuser l'offre du Ministère? Disposait-elle réellement de toute la latitude promise par la ministre pour régler le conflit entre les trois centres hospitaliers? Aurait-elle l'heure juste de la part des fonctionnaires mandatés pour lui fournir les données essentielles lui permettant de cerner la situation dans ce dossier pour le moins explosif?

Malgré ces incertitudes, elle décida de s'en tenir à ses succès professionnels. Dès la fin de ses études, elle avait réussi dans des mandats où d'autres avaient échoué. Pourquoi celui-ci serait-il différent?

Le défi en valait la peine. Si elle parvenait à rallier tous les gens tant au Ministère que dans les trois hôpitaux, le CSUGM deviendrait un des plus grands centres hospitaliers universitaires du Canada.

* * *

Philippe était-il conscient de la chance qui s'offrait à lui? Les circonstances actuelles lui permettaient de passer outre les structures administratives bien ancrées. Il était suicidaire de sa part de se lancer dans pareille bataille. Personne, avant lui, n'avait osé se rendre directement au Ministère. Personne.

Comment réussirait-il à persuader le Ministère d'isoler Sainte-Famille du CSUGM sans nuire à sa vocation de centre hospitalier universitaire ultra-spécialisé? Et d'assurer cette lutte seul, c'était du jamais vu. S'il convainquait tous ces gens, il deviendrait un héros pour l'ensemble des employés et des médecins de l'hôpital, sans parler de la population, voire les syndicats.

Mais, dans la vie, il y a des questions qui demeurent sans réponse. Si Philippe n'avait pas reçu Monsieur Champagne pour une consultation ce matin-là, le sujet de Sainte-Famille n'aurait jamais été abordé entre eux. Pas de discussion à propos de la fusion, pas d'appel à Marie-France. Était-ce le destin qui s'était manifesté?

* * *

Le 31 décembre, Philippe et Claire offrirent une réception digne des grands événements. À l'arrivée, chaque invité dut se coiffer : haut-de-forme pour les hommes, diadème pour les femmes. Ils traversèrent le hall d'entrée, subjugués par l'ampleur des décorations de Noël omniprésentes dans la vaste demeure.

Plusieurs surprises les attendaient tout au long de la fête, mais le clou de la soirée fut, sans contredit, lorsque chacun reçut le rouleau de papier de soie bleue qui contenait la une de *La Presse* et la page d'intérêt publiées la journée de leur naissance. Tous s'étaient relancés pendant une quinzaine de minutes pour dévoiler les grands titres de cette journée mémorable.

À minuit, le Dom Pérignon coulait à flots. Cette boisson exquise fut servie, accompagnée de fraises et de chocolat noir, provoquant instantanément chez Philippe, un haut-le-cœur. Au cours de cette dernière semaine, il avait pensé très souvent à Caroline. Qu'arriverait-il à sa vie de couple? Devait-il demeurer dans une relation dénuée de passion ou répondre à la demande de son ex-maîtresse.

À plusieurs reprises, il avait tenté de la joindre pour qu'elle revienne sur sa décision. En vain, Caroline n'avait pas retourné ses appels. Pour lui, il n'y avait plus de doute; cette relation était bel et bien terminée.

En cette veille du jour de l'An, il aurait tant souhaité être seul. Dès le lendemain de Noël, il s'était isolé à son bureau avec trois de ses confrères du CMDP et sa secrétaire pour préparer les dossiers en vue de la rencontre avec la sous-ministre. Ils avaient relu l'ensemble des rapports liés au projet de déménagement de Sainte-Famille dans l'île Notre-Dame, ceux liés au CSUGM, les procès-verbaux du CMDP ainsi que du conseil d'administration de l'hôpital des douze dernières années. Dans la journée du 31 décembre, il avait lu trois livres qui relataient l'histoire de Sainte-Famille depuis sa création. Pour compléter ses recherches, il souhaitait passer toute la journée du 3 janvier au Musée national de Montréal.

L'ultime réunion du groupe avait lieu le 4 janvier; tous les documents étaient prêts. Il savait exactement de quelle façon aborder le dossier.

* * *

Le matin du 5 janvier, Philippe quitta l'hôpital vers neuf heures en direction des bureaux du ministère de la Santé et des Services sociaux situés rue Fullum à Montréal. Comment devait-il appeler Marie-France. Madame la sous-ministre, Madame Tousignant ou tout simplement Marie-France. Une fois dans l'ascenseur, il décida de se conformer aux règles d'usage et de la vouvoyer.

Pour sa part, Marie-France avait quitté Québec la veille afin d'être fraîche et dispose pour entendre le docteur St-Laurent. Ce matin-là, elle fit livrer son petit déjeuner à la chambre de l'hôtel où elle avait l'habitude de loger, sauf les rares fois où elle couchait à Longueuil chez son oncle. Pendant qu'elle écoutait une émission du matin tout en lisant *Le Devoir,* elle eut la même réflexion que Philippe. Devait-elle l'appeler par son prénom ou tout simplement docteur St-Laurent ? Quelques instants plus tard, elle décida qu'il serait plus approprié d'imposer une certaine autorité dans le dossier.

* * *

L'ascenseur arrêta sa course au cinquième étage. Philippe ressentit quelques palpitations. « Maudite nervosité ! », pensa-t-il. Il détestait se sentir si fébrile, ne désirant faire aucun faux pas. Il suivit les indications pour atteindre le bureau de la sous-ministre et, au moment où il s'engageait dans l'aile nord, il croisa deux fonctionnaires qui se remémoraient les moments forts de la période des fêtes.

Philippe pénétra à l'intérieur du bureau de l'adjointe.

– Bonjour ! dit celle-ci sans le regarder.

– Bonjour Madame ! Je suis le docteur St-Laurent. J'ai rendez-vous avec la sous-ministre.

L'air préoccupé, elle leva les yeux vers lui :

– Veuillez vous asseoir. Madame Tousignant va vous recevoir dans quelques instants.

– Je vous remercie, dit-il, étonné d'être reçu avec si peu de courtoisie.

Philippe enleva son manteau puis s'installa dans le fauteuil. Ces quelques minutes d'attente faisaient son affaire ; sa pression était un peu trop haute à son goût.

– Puis-je prendre votre manteau ? demanda-t-elle.

– Oui, bien sûr ! répondit-il, la trouvant tout à coup plus sympathique.

« Ces fonctionnaires ! » songea-t-il. Philippe avait observé que plusieurs d'entre eux aimaient donner l'impression d'un éternel débordement. Certains avaient un rituel ; ils sortaient le matin plusieurs dossiers qu'ils plaçaient çà et là sur leur bureau, même s'ils n'avaient pas à s'y référer de la journée. D'autres se donnaient des airs de grandeur : lunettes sur le bout du nez et pas accéléré dans le corridor. La caricature du parfait fonctionnaire.

Soudain, une idée germa dans son esprit. « *La maladie du fonctionnaire.* Elle est bonne, celle-là ! Après la maladie du légionnaire, voici une maladie que nous pourrions faire reconnaître dans le *Merck.* »

Philippe se passa, d'un geste rapide, la main sur le front. Repensant à son idée, il dut se retenir pour ne pas pouffer de rire devant l'adjointe.

Il chassa cette idée folle de sa tête lorsqu'il entendit la porte s'ouvrir. Il se retourna puis apparut cette femme qui n'avait pas réellement quitté ses pensées depuis la minute où on la lui avait présentée. Elle était magnifique dans son tailleur bleu marine.

Elle s'avança gracieusement vers Philippe en le regardant droit dans les yeux.

– Bonjour, docteur St-Laurent, dit-elle en lui tendant la main.

– Bonjour, Madame la sous-ministre !

– Entrez ! Je vous en prie.

Philippe la suivit dans le bureau et jeta un bref coup d'œil à cette pièce dont la décoration devait dater d'au moins une vingtaine d'années.

– Veuillez vous asseoir, invita Marie-France, et ne vous gênez pas pour me dire que l'aménagement date d'une autre époque.

– En effet ? répondit Philippe, surpris de sa spontanéité.

– Vous n'êtes pas sans savoir avec quelles compressions nous devons composer en ce moment. Dois-je vous mentionner que les priorités sont ailleurs ? Les journalistes sont tellement aux aguets de ce genre de dépenses...

– Bien, nous avons vu ça au printemps dernier avec l'histoire des rénovations du bureau de la ministre !

– Donc, je ne vous apprends rien ?

– Disons, si j'ai bien compris, que les travaux de rénovation au bureau de Madame Boisvert sont terminés. Pour ce qui est du vôtre... ce sera dans quelques années ? ajouta-t-il mi-figue, mi-raisin.

– Exactement ! lança-t-elle en souriant.

– Votre fonction est quand même paradoxale !

– Dans quel sens ?

– Vous êtes la sous-ministre aux immobilisations et vous n'êtes même pas en mesure de vous installer dans des bureaux décents.

Elle fut un peu surprise de son franc-parler mais l'apprécia toutefois.

– C'est vrai pour Montréal. À Québec, c'est beaucoup mieux. De toute façon, je suis ici seulement trois ou quatre jours par mois, alors je m'accommode de ce mobilier.

Elle trouvait Philippe intéressant car il disait ce qu'il pensait ; pas le genre d'homme exprimant uniquement ce que les femmes voulaient entendre. Elle se leva pour ouvrir la porte de son bureau.

– Vous avez aimé la soirée chez mon oncle ? interrogea-t-elle tout en faisant signe à son adjointe d'apporter du café.

Refermant la porte derrière elle, elle retourna à son fauteuil afin d'y prendre place et croisa les jambes en fixant Philippe. Pouvant apercevoir ses jambes et la naissance de ses cuisses, Philippe ressentit une douce sensation.

– Donc, vous avez apprécié? demanda-t-elle à nouveau.

– Énormément! répondit-il, essayant de se changer les idées. Le repas était excellent et Madame Champagne est une hôtesse comme on en rencontre rarement. J'ai aussi apprécié de voir Monsieur Champagne dans son environnement familial. Bien qu'avant son décès, mon père et lui étaient de grands amis, je n'ai jamais eu l'occasion de le voir dans d'autres circonstances; je le vois toujours à l'hôpital entre deux rendez-vous. De le côtoyer dans un autre contexte m'a vraiment plu.

L'adjointe entra dans le bureau avec le café. Elle en fit le service puis quitta la pièce.

– Merci, Simone.

Marie-France but une gorgée.

– Et vous? Vous avez passé une belle soirée? demanda Philippe.

– Tout à fait. Par contre, je dois vous avouer que je n'ai pas apprécié le fait que mon oncle m'ait caché votre présence. Avoir su, je ne serais jamais venue. Il est important, docteur St-Laurent, de comprendre qu'il n'est pas habituel de procéder ainsi au Ministère. Si nous commençons à recevoir tous et chacun pour écouter leurs récriminations, il n'y aura plus de fin. De toute façon, il y a des règles à suivre; ai-je besoin de vous rappeler que vous les avez transgressées royalement? J'ai accepté, pour cette fois-ci, de vous rencontrer car, selon mon oncle, vous avez des informations qui m'éclaireront dans ce dossier. Soyez assuré que c'est la première et la dernière fois que je vais acquiescer à ce genre de demande. Vous saisissez?

– Oui, Madame Tousignant. Et, pour cette raison, je vous remercie d'avoir accepté de me recevoir aujourd'hui. Je suis conscient que ce n'est pas la façon usuelle de procéder mais vous ne le regretterez pas.

Marie-France se redressa et s'avança vers la table.

– Bon! Que diriez-vous si nous attaquions le sujet immédiatement?

Philippe détacha son veston, prit deux gorgées de café et s'approcha à son tour.

– Je sais que vous êtes en poste depuis seulement quelques semaines et le mandat que l'on vous a confié est une vraie patate chaude.

– Je n'aurais pas pu dire mieux! s'exclama-t-elle en ôtant une mousse imaginaire sur sa jupe. Mais ne vous en faites pas. J'ai l'habitude de gérer ce type de dossiers, même si parfois certaines personnes doutent de mes compétences; elles finissent toujours par se raviser. Je suis le genre de femme à atteindre mes objectifs, pas à les laisser en plan.

Elle ferma légèrement les yeux puis les réouvrit.

– C'est curieux, au lieu de me décourager, ce genre de réaction me stimule encore plus.

– Donc vous êtes consciente de l'ampleur du défi à relever?

– Évidemment! Vous savez, docteur St-Laurent, la ministre a été très précise lorsqu'elle m'a transmis ce mandat. La fusion des trois centres hospitaliers pour créer le CSUGM est chose faite. Mon rôle est d'évaluer si nous devons maintenir les centres hospitaliers sur leur site actuel ou bien construire un nouveau bâtiment afin de regrouper tous les employés en un seul lieu. Suis-je obligée de vous mentionner que le conflit qui sévit présentement entre les différentes spécialités doit prendre fin dès maintenant? Nous n'avons pas le temps, au Ministère, de nous arrêter à ces enfantillages de docteurs, sous prétexte qu'ils veulent conserver leur chasse gardée à l'intérieur de leurs centres hospitaliers respectifs.

Philippe l'écoutait sans répliquer. Ces paroles ne pouvaient provenir d'elle; Marie-France était en poste depuis peu. C'est ce que pensaient probablement la ministre et les hauts fonctionnaires. Ils lui avaient sûrement servi ce discours à son arrivée. Sinon, comment pouvait-elle parvenir à un tel constat après si peu de temps? Persuadé qu'il réussirait à lui faire changer d'opinion à propos des enfantillages des docteurs, comme elle se plaisait à dire, il osa lui poser une question.

– Pourquoi dites-vous que les docteurs devront cesser de défendre leur chasse gardée?

– Docteur St-Laurent? Ne me faites pas parler pour rien. Vous savez autant que moi que ce dossier-là traîne depuis déjà trop longtemps. Vrai ou faux?

– C'est vrai. Mais il y a des raisons. Comme je le mentionnais à notre DSP juste avant les fêtes, nous ne pourrons jamais réaliser ce mariage à trois, surtout pas dans les circonstances actuelles.

Marie-France croisa les bras.

– L'an prochain, Sainte-Famille célébrera ses deux cent soixante-quinze ans. Comment unir un centre hospitalier près de trois fois centenaire à deux autres centres, dont l'un a cent trente-cinq ans d'existence et l'autre à peine cent dix ans? Quand vous parlez de chasse gardée, mettez-vous deux minutes dans la peau de médecins dont plusieurs exercent cette profession de génération en génération, tant à Sainte-Famille que dans les deux autres centres hospitaliers.

Comment espérer la collaboration de ceux-ci lorsque pendant des années, voire plus d'un siècle, il y a eu des luttes viscérales tant au niveau de la médecine, de la chirurgie que de la recherche.

Sainte-Famille a toujours été apprécié pour la qualité de ses soins infirmiers et de ses services médicaux. Nous avons un centre de recherche reconnu mondialement, qui suscite l'envie des médecins des deux autres centres hospitaliers. Vous n'êtes pas sans savoir que dans un centre de recherche, rares sont les complicités entre le personnel des divers laboratoires. Les chercheurs et leur personnel travaillent en vase clos. Ils ont tellement peur de voir le fruit de leurs recherches volé par une autre équipe! Il ne faut pas jouer à l'autruche; tous travaillent pour obtenir, un jour ou l'autre, le prix Nobel de médecine.

Imaginez maintenant que vous ajoutez un autre centre de recherche dans le portrait. Oubliez ça, c'est impensable! Les chercheurs se regardent comme des chiens de faïence. C'est à savoir qui va faire LA découverte le premier. Alors, au lieu de travailler en équipe, ils se liguent les uns contre les autres!

Marie-France l'écoutait attentivement. Si c'est de cette façon qu'il voulait aborder le dossier, il se dirigeait tout droit vers un cul-de-sac. Sainte-Famille avait beau être un des premiers centres hospitaliers de Montréal, fondé depuis près de deux cent soixante-quinze ans, les arguments qu'il soulevait la laissaient de glace. Elle interrompit Philippe.

– C'est là que le bât blesse, docteur St-Laurent. Les médecins devront cesser ces querelles intestines qui ne mènent à rien et qui ne font qu'envenimer la situation. Le mot d'ordre est très clair. Je le répète pour une seconde fois, le CSUGM est là pour rester. Vous n'avez pas le choix et personne n'y échappera.

– Attendez, Madame Tousignant! Je crois qu'au Ministère il y a des fonctionnaires qui sont allés un peu trop vite. Je ne suis pas sûr qu'ils ont analysé tous les enjeux de cette fusion.

Marie-France montra des signes d'impatience.

– Excusez-moi de vous contredire mais, depuis six semaines, en ce qui concerne ce dossier, le Ministère... c'est moi! Comme je l'ai mentionné, il y a à peine quinze minutes, mon rôle est d'évaluer ce dossier dans les moindres détails et de consulter les différentes instances afin de suggérer une façon de faire pour que cette fusion se réalise le plus harmonieusement possible et dans les plus brefs délais.

Docteur St-Laurent, je vais vous le répéter pour la dernière fois. Le CSUGM est là pour rester et, croyez-moi, il n'y a aucune possibilité de revenir en arrière. Je suis consciente que la pilule est difficile à avaler, mais le corps médical de Sainte-Famille devra faire preuve de bonne volonté. Nous sommes à l'ère des mégastructures et le milieu hospitalier au Québec n'y échappera pas. Et surtout pas le CSUGM!

Elle était sûre de ce qu'elle avançait. Si Philippe voulait la persuader du contraire, il devait changer de stratégie, sinon il courait à sa perte.

Philippe comprit qu'il s'était engagé dans la mauvaise voie. Pourquoi s'était-il écarté de son plan initial? Probablement, parce qu'elle lui avait parlé des enfantillages des docteurs. «Voir si les docteurs étaient immatures», pensa-t-il, frustré. Dès cet instant, il décida de déballer son arsenal.

– Madame Tousignant, si vous maintenez la fusion pour former le CSUGM, nous serons encore ici dans cinq ans pour en parler. Et voici pourquoi.

Philippe voulut lui relater l'historique de Sainte-Famille afin qu'elle comprenne en quoi cette institution était si importante aux yeux de la population montréalaise et de ses environs. Marie-France réagit immédiatement.

– Docteur St-Laurent, venez-en aux faits!

– Madame Tousignant, donnez-moi quelques minutes pour vous remettre dans le contexte, supplia presque Philippe.

Marie-France se cala contre le dossier du fauteuil.

– Bon, allez-y! Mais racontez-moi ça en dix minutes. Pas plus!

Philippe résuma les deux cents premières années d'existence de Sainte-Famille où divers événements avaient, plus d'une fois, mis sa vocation en péril. Après, Philippe fit un bond d'une soixantaine d'années pour parler du dossier qui avait fait la manchette à travers la province : la destruction du site actuel pour relocaliser Sainte-Famille dans l'île Notre-Dame. Ce projet visait à sauver Sainte-Famille puisque les administrateurs de l'époque semblaient assurés que seule cette solution permettrait à ce centre hospitalier de retrouver ses lettres de noblesse. Des sommes énormes avaient été investies pour cette nouvelle construction qui constituerait, selon eux, une alternative à la rénovation.

Puis s'en était suivi, pendant plusieurs mois, un débat public où les opposants de tous niveaux remettaient sans cesse en question la pertinence d'un tel déménagement, et aussi la future utilisation du site actuel.

Quelques années plus tard, l'objet des discussions avait changé. Le ministre de la Santé et des Services sociaux avait procédé à la création du CSUGM en fusionnant les trois établissements de santé du sud de Montréal. Presque quatre ans s'étaient écoulés depuis cette annonce et seul le secteur administratif et quatre spécialités médicales étaient unifiés. Pour le reste, il y avait encore beaucoup à faire.

Sans laisser le temps à Marie-France d'intervenir, il proposa immédiatement la manière de libérer Sainte-Famille de cette intégration forcée. Il mentionna qu'il était imprudent de construire le CSUGM en un seul lieu et qu'abolir des lits au centre-ville, où plus de six cent mille personnes se rendaient chaque jour pour travailler, était suicidaire.

Comment le Ministère pouvait-il prétendre que huit cent cinquante lits seraient suffisants, alors qu'avec le double la situation était régulièrement critique.

Il rappela à quel point les relations étaient tendues entre les médecins des trois hôpitaux où se pratiquaient la médecine clinique, la chirurgie et la recherche. La solution était simple. Le Ministère devait revoir les accréditations universitaires et la structure du réseau de la santé et des services sociaux dans son ensemble. Sainte-Famille pourrait garder son nom en devenant un centre hospitalier universitaire où serait effectuée de la recherche fondamentale et auquel on fusionnerait les activités administratives des trois CLSC environnants et des deux CHSLD.

Marie-France n'avait rien dit depuis le début de son laïus. Il connaissait son dossier, il n'y avait aucun doute. Elle prit la parole.

– Docteur St-Laurent. Je vous remercie de m'avoir fait ce résumé. Ce qui s'est déroulé il y a dix ans, voire même cinq ans, est dépassé. C'est désolant pour tous ceux qui y ont consacré tant d'efforts mais c'est la réalité.

Elle respira profondément puis continua.

– Pourquoi devons-nous revoir la position de Sainte-Famille ? Oubliez un instant les médecins et le personnel. Donnez-moi rien qu'une raison pour laquelle nous devrions exclure votre hôpital du CSUGM, quand nous assistons régulièrement à des fermetures d'entreprises ayant plus de cent ans d'existence ?

– C'est très simple ! répliqua Philippe. Écoutez, nous sommes dans une position idéale. La structure actuelle du réseau de la santé et des services sociaux est déficiente. Le Ministère a même avancé dernièrement qu'il s'apprêtait à mettre en place une réforme de la santé où toutes les structures hospitalières seront réévaluées.

Vous savez sans doute que, depuis l'instauration du virage ambulatoire, le climat n'est pas au beau fixe entre les CLSC et les centres hospitaliers. Des guerres de clocher éclatent parce que les CLSC ne possèdent pas les budgets requis pour fonctionner adéquatement, les hôpitaux ne leur transfèrent pas les budgets pour assurer les soins à domicile, etc... J'arrête ici parce que je pourrais vous parler de leurs jérémiades jusqu'à demain matin!

Ma solution est simple. Au lieu de vous entêter à vouloir nous assimiler sans résultat, pourquoi ne pas créer une structure unique au Canada? Nous pourrions devenir le premier centre hospitalier universitaire francophone doté d'un centre de recherche clinique offrant les services de CLSC et de CHSLD. Les activités administratives pourraient être coordonnées à partir d'une seule et même direction générale qui, elle, serait chapeautée par un seul conseil d'administration. Je vous le garantis, les gains tant sur le plan financier que sur celui de la productivité seront tangibles rapidement. Et qui serait le grand gagnant? Le patient.

Marie-France fut surprise de sa suggestion. Ce médecin l'amenait en terrain inconnu. Bien qu'elle se soit préparée à toutes sortes d'options, jamais il ne lui était venu en tête cette possibilité d'amalgamer ces trois types d'établissements.

– Et que feriez-vous avec les deux autres centres hospitaliers? demanda-t-elle.

– Vous pourriez maintenir le statu quo ou attendre les résultats dégagés de notre nouvelle organisation.

– Et la rénovation de Sainte-Famille? Pas plus tard qu'hier, j'ai lu certains rapports rédigés il y a une dizaine d'années. On y faisait état de la vétusté des lieux et des équipements, ainsi que des problèmes qu'engendrait l'étalement des pavillons dans les domaines de la productivité des ressources humaines et de l'organisation du travail.

Marie-France se leva et se tourna vers son bureau. Elle prit quatre rapports et les présenta à Philippe.

– Si je ne m'abuse, il y en a deux dont les recommandations ont été approuvées et signées par votre président du CMDP de l'époque.

Philippe examina les deux rapports. Dix ans auparavant, le président du CMDP avait signé une recommandation pour que Sainte-Famille soit déménagé afin de pallier les problèmes de vétusté des locaux et des équipements. Un autre rapport, cette fois signé cinq ans plus tôt, stipulait que le CMDP approuvait la création du CSUGM.

Philippe n'en revenait pas de voir à quel point elle était informée. Il répliqua.

– Comme vous l'avez dit, il s'agit de rapports rédigés il y a une dizaine d'années. Maintenant, beaucoup de choses ont changé. Le virage ambulatoire est véritablement amorcé, il n'y a plus de gériatrie ni de psychiatrie dans l'hôpital. En ce qui concerne les installations matérielles, on a procédé à la réfection de tout le système de ventilation et rénové tous les secteurs diagnostiques.

Je vous le dis, si le Ministère accepte de nous octroyer cent cinquante millions, nous allons être en mesure de rénover de fond en comble Sainte-Famille, en plus de renouveler le parc d'équipements médicaux qui est désuet, bien que toujours fonctionnel.

– Pourquoi le deviendrait-il tout à coup ? L'étalement des pavillons sera toujours une embûche majeure, demanda-t-elle, perplexe.

– C'est évident ! Mais nous pourrions centraliser les activités médico-hospitalières dans au plus quatre pavillons en utilisant à des fins administratives et de recherche seulement ceux qui sont moins accessibles.

Philippe gardait un as dans son jeu. Il n'était pas question qu'il le dévoile pour l'instant. Elle, de son côté, le trouvait frondeur. Elle repensa à la réplique qu'il venait de lui servir : « Il s'agit de rapports rédigés il y a plusieurs années. » Il n'avait pas peur des mots et surtout n'était pas impressionné par son statut.

Marie-France s'adossa au fauteuil, posa ses bras sur les accoudoirs et joignit les mains sous son menton.

– Parlons des patients. Quels seront les avantages qu'ils en retireront au quotidien ?

Philippe se mit à lui énumérer les bénéfices qu'entraînerait une telle organisation. Il lui mentionna, avec tout le dynamisme qui le caractérisait, que les ressources humaines et matérielles seraient gérées à partir d'une seule et même direction générale chapeautée par un conseil d'administration.

La structure administrative étant la même pour tous, il serait facile de coordonner les épisodes de soins du début de la maladie jusqu'à la convalescence ou à la guérison, selon le cas. Puis, afin de contrer les engorgements cycliques de l'urgence, le Ministère pourrait pourvoir deux points de service du CLSC d'équipements médicaux spécialisés pour offrir des services d'urgence de pointe.

Si un des rôles du CLSC était d'être la première porte d'entrée du réseau, le Ministère devait prendre les décisions qui s'imposaient pour que les intervenants des CLSC puissent fournir les services promis depuis si longtemps à la population.

Il en profita pour rappeler que les relations entre les chercheurs de Sainte-Famille et ceux de l'Institut de recherche Legardeur, situé sur Berri, étaient idéales ; il suggéra d'intégrer les activités de recherche de l'hôpital et celles de l'Institut.

De toute façon, un contrat d'affiliation existait entre les deux institutions depuis plusieurs années et même certains médecins de l'hôpital y tenaient leurs cliniques. Si le Ministère donnait son aval à cette suggestion, ceci éviterait indubitablement la construction d'un pavillon supplémentaire à l'emplacement actuel de Sainte-Famille pour compenser le manque d'espace au centre de recherche. Plusieurs locaux étaient libres à l'Institut et, à la limite, un agrandissement de l'institution pourrait être envisageable si des espaces de recherche devenaient nécessaires.

Il termina avec les soins à domicile et l'hébergement des personnes âgées. La majorité des bénéficiaires étaient ambulants et autonomes à leur sortie de l'hôpital, mais certains requéraient des soins à domicile ou devaient être transférés dans un CHSLD.

Il ajouta que les statistiques ne mentaient pas. À peine vingt pour cent des patients obtenaient des services du CLSC, en raison soit d'une mauvaise coordination des agents de liaison de l'hôpital, soit du manque d'effectifs dans les CLSC ou parce que les patients n'avaient effectué aucune demande auprès du CLSC, n'étant pas informés qu'un tel service était offert.

Marie-France se leva puis marcha dans le bureau. Philippe resta silencieux, attendant une autre réaction. Il tenta d'analyser son comportement non verbal et perçut rapidement sa force de caractère. À l'évidence, elle ne laisserait rien paraître, qu'elle soit d'accord ou non avec ses idées.

Pendant qu'elle faisait l'aller-retour, Philippe l'examina discrètement de la tête aux pieds. Elle s'arrêta à la fenêtre et lui posa une autre question, tout en observant l'extérieur.

— Est-ce que votre directeur général et votre conseil d'administration sont d'accord avec cette suggestion ?

Philippe fut pris de court. Il ne s'attendait pas à cette question. Il décida de répondre franchement, de dire ce qu'il pensait du directeur général en poste et du rôle de la Régie régionale.

Il ne mâcha pas ses mots pour dénoncer l'incompétence de plusieurs administrateurs et signaler à quel point le style de gestion était dépassé. Sainte-Famille avait besoin d'un leader qui rassemblerait et motiverait le personnel pour atteindre un objectif ultime : pratiquer de la bonne médecine.

Philippe ajouta, amer, que plusieurs d'entre eux dépensaient une énergie incroyable à défendre leurs convictions et leur poste. Ce manège devait cesser sinon la situation ne changerait pas. « Nous en serons au même point dans dix ans », précisa-t-il.

Ce qu'il disait avait du sens, pensa Marie-France. Mais la ministre, bien qu'elle lui ait donné carte blanche, semblait pencher vers une autre conclusion, celle de fusionner les trois établissements en dépit de l'opposition des médecins.

Or, Philippe venait de lui proposer une solution qui, à son avis, valait la peine d'être analysée. Sainte-Famille pourrait demeurer à son emplacement actuel et jouer le rôle de centre hospitalier universitaire spécialisé avec toutes les ramifications nécessaires à une bonne gestion des soins de santé et des services sociaux dans son secteur de Montréal.

Les deux autres centres hospitaliers situés au centre-ville, vivant bien le mariage depuis le début de la cohabitation imposée par le ministère de la Santé, pourraient continuer leur voyage de noces, personne ne s'y opposerait.

Marie-France consulta sa montre en revenant vers la table.

– Docteur St-Laurent, il est déjà onze heures quarante-cinq et c'est malheureusement tout le temps dont je dispose. Je trouve votre suggestion intéressante mais il est trop tôt pour vous dire si cette solution est applicable dans le contexte actuel. Il me reste des gens à consulter, soit votre directeur général, le président de votre conseil d'administration et le directeur général de la Régie régionale de Montréal-Centre. Vous savez autant que moi qu'une décision comme celle-là ne se renverse pas aussi facilement!

– Je m'en doute, dit Philippe.

– Je vous demande une seule chose. Faites-moi confiance. Je vais agir au mieux pour que les intérêts de Sainte-Famille soient respectés, qu'il demeure ou non à l'intérieur du CSUGM.

Ce n'est pas ce que Philippe espérait entendre. Son message avait-il été assez clair? Il se mit à douter de lui-même. Toutefois, il sortit un document qui expliquait la structure proposée et le laissa sur la table.

Il se leva et s'avança vers la porte. Elle l'accompagna et lui mentionna qu'elle prendrait le temps d'analyser les propositions et les suggestions qu'on lui avait soumises ces dernières semaines. Elle lui demanda de se rendre disponible pour une prochaine rencontre à Québec, probablement trois semaines plus tard. Elle ajouta qu'à la mi-février elle souhaitait présenter à la ministre un rapport préliminaire sur la situation du CSUGM. Ainsi, à la suite des correctifs apportés, la ministre pourrait faire l'annonce, à la mi-mars, des orientations finales de ce dossier si litigieux.

Philippe n'était pas en mesure de décoder s'il avait marqué des points ou non. Elle lui laissait entrevoir qu'elle le verrait à nouveau mais, d'un autre côté, elle lui laissait entendre que la ministre avait son idée bien arrêtée.

Philippe s'avança vers elle.

– Madame Tousignant, je vous remercie de votre accueil. J'espère vous avoir éclairée et que notre suggestion va être minutieusement examinée.

– Docteur St-Laurent, faites-moi confiance. Le seul intérêt qui me préoccupe, c'est celui des patients. N'est-ce pas le vôtre aussi?

– Effectivement, ajouta-t-il.

Ils se serrèrent la main, puis il partit.

CHAPITRE X

Le découragement d'un directeur général

Philippe fila vers l'hôpital. En sortant de sa voiture, il croisa le vice-président du CMDP, le docteur Paul Martineau.

— Salut, Paul!

— Salut, mon vieux! Et, la rencontre?

— Pas si mal.

— Pas si mal? interroga Paul, étonné de son manque d'enthousiasme.

— Disons que la rencontre s'est bien déroulée mais la partie est loin d'être gagnée. Marie-France Tousignant a reçu des directives très précises de la part de la ministre. Il semble que le CSUGM soit chose faite et qu'il soit trop tard pour remettre la fusion en question.

— T'es pas sérieux?

— Ça en a tout l'air! lâcha-t-il en soupirant. Qu'est-ce que tu veux, quand des décisions sont cannées d'avance, on ne peut rien y faire? Au moins, elle m'a demandé de demeurer disponible pour la dernière semaine de janvier. Est-ce que ça signifie que la situation pourrait changer?

— Maudite bonne question! Quelles sont les prochaines étapes?

– Elle désire rencontrer dans quelques jours le directeur général, le président du conseil d'administration et le directeur général de la Régie régionale pour connaître leur opinion.

– Ce n'est pas tellement surprenant. Si elle veut le portrait global de la situation, elle n'a pas d'autre choix que de procéder ainsi.

– Pas le choix? Voyons, Paul! Rencontrer cette bande de *twits*! Elle va carrément perdre son temps! vociféra-t-il.

– Philippe, je t'en prie. Ne sois pas si agressif. Et fais attention à tes allusions. Une bonne fois, tu vas avoir l'air fou! Si tu t'oubliais devant la sous-ministre, je ne suis pas certain qu'elle apprécierait la façon dont tu qualifies ses collègues!

Pour en revenir à cette charmante dame, c'est vrai qu'elle n'a pas le choix, que ça te plaise ou non. Mets-toi dans sa peau deux secondes; prendre une décision de cette ampleur après avoir rencontré uniquement le président du CMDP? Pousse, Philippe, mais pousse égal!

– Ah, je sais. Tu as probablement encore raison! dit-il.

Philippe considérait Paul comme son frère. Lui seul pouvait lui parler ainsi. Ils se connaissaient depuis leur toute première année de médecine. Bien qu'ils pratiquent des spécialités différentes, Paul étant un éminent chirurgien cardiaque, ils ne s'étaient jamais perdus de vue, même lorsque Paul avait dû quitter Montréal pour un stage de deux ans à la clinique Mayo de Boston.

– En passant, comment a-t-elle réagi par rapport à la menace de démission?

– Elle s'en fout complètement! Si nous voulons la convaincre de retirer Sainte-Famille de la fusion, je crois que c'est la dernière option que nous devrons retenir. La menace de démission va juste nous éloigner de notre but.

Il fit une pause.

– Par contre, je me dois d'être honnête. J'ai ressenti chez elle une certaine ouverture. Est-ce seulement une impression ou si c'est vraiment le cas?

Paul le félicita d'avoir réussi à obtenir un rendez-vous auprès d'elle et ajouta que, le connaissant, il avait sûrement réussi à la sensibiliser à leur cause. Ce n'était pas le genre de Philippe St-Laurent de perdre; c'était plutôt un gagnant.

Ils entrèrent dans l'hôpital; Paul commençait à frissonner, ayant un simple sarrau sur le dos. Puis, s'arrêtant devant le poste de la sécurité, Philippe lui rappela de ne pas oublier la réunion de l'exécutif du CMDP prévue pour quatorze heures; il ferait le point sur sa rencontre avec la sous-ministre.

Pendant que Philippe s'éloignait vers l'escalier, Paul l'interpella.

– J'oubliais. Belle femme, la Madame?

Philippe se retourna et lui fit un sourire en hochant la tête.

– Neuf virgule huit sur dix, répondit-il en se mordillant la lèvre inférieure.

– C'est bon, ça! rétorqua Paul. On dit que ça ne nuit jamais de faire négocier le beau monde ensemble!

Philippe l'envoya paître en poussant la lourde porte.

* * *

Comme elle quittait son poste le vendredi, Caroline s'affairait à ranger ses effets personnels dans des boîtes. Philippe entra dans son bureau, faisant fi de sa présence. Il avait beaucoup de difficulté à accepter la manière dont cette relation s'était terminée. Rien que la façon dont elle s'était comportée le 23 décembre allait contre l'entendement. En plus de l'annonce qu'elle le quittait tant dans la vie privée qu'au travail, elle lui avait réservé une surprise pour son retour de vacances. Le relevé de compte de sa carte de crédit montrait des dépenses de plus de mille dollars pour la soirée au *Ritz Carlton*. À part les frais de l'hôtel, cent cinquante dollars avaient été débités pour la visite du Pierrot, et cinquante dollars pour un achat effectué dans un commerce à numéro. « La fameuse grenouille », pensa-t-il.

Jamais il n'oublierait cette soirée. Furieux n'était pas un mot assez fort pour qualifier sa colère. Si son intention était de le blesser dans son orgueil, elle avait réussi.

Il lui était passé par la tête de lui en faire voir de toutes les couleurs mais il s'était ravisé. Avec l'imagination débordante qui la caractérisait, s'il se vengeait, Caroline aurait sûrement l'audace de tout révéler à Claire.

Et, pour l'instant, il n'avait pas le temps de se farcir un divorce ; il devait consacrer toutes ses énergies au projet qui lui tenait tant à cœur. Seul ce défi comptait, même si Marie-France occupait ses pensées depuis deux semaines.

* * *

Après s'être restauré à la cafétéria, il se dirigea vers la salle de réunion. Sans être paranoïaque, Philippe croyait qu'un système d'intercommunication avait été installé entre la salle Jean-Eudes et le bureau du directeur général.

Pour éviter des réactions intempestives de ce dernier, il jugea plus prudent de tenir la réunion dans une autre salle.

Philippe avait demandé à Marie-France d'être discrète sur la proposition du CMDP. Bien que surprise par une telle demande, elle lui avait promis qu'elle tairait l'ensemble des propos tenus lors de leur rencontre.

Il entra dans la salle complètement déserte; il s'installait à son siège lorsqu'il entendit les autres s'approcher. Philippe invita les membres à s'asseoir afin d'amorcer la réunion sans plus attendre. Il annonça que la sous-ministre avait pris le temps d'écouter sa proposition et qu'elle lui avait posé des questions très pertinentes. Étonné de constater à quel point elle possédait bien le dossier du CSUGM, il ne cacha toutefois pas son inquiétude face à la destinée de Sainte-Famille. La ministre de la Santé et des Services sociaux semblait avoir une seule idée en tête : maintenir la fusion des trois centres hospitaliers, coûte que coûte.

Il ajouta que la sous-ministre lui avait confié qu'elle avait carte blanche pour l'évaluation de ce dossier, mais la question était de savoir de quelle marge de manœuvre elle disposait pour décider du sort de leur hôpital.

Il résuma le reste de l'entretien puis mentionna qu'il devait se rendre disponible au cours du prochain mois pour une rencontre à Québec. Il ajouta qu'il avait été heureux de rencontrer une fonctionnaire dynamique.

– Je lui parlais de CHSLD et elle savait ce que ça voulait dire. Quand on sait que les fonctionnaires se perdent dans leurs propres acronymes et leur jargon bureaucratique... Là, ils sont partis sur les fameux concepts ! Puis... Savez-vous ce qu'ils ont trouvé comme nouveau terme pour nommer les personnes âgées ? Des « intégrés sociaux » ! Faut-il aimer compliquer les affaires ? Je dois me retenir parce que...

– Philippe ! grommela Paul. Tu dérapes, mon vieux.

– Je ne dérape pas, Paul. Je me défoule, tout simplement. Je ne suis plus capable de voir ce monde-là diriger notre réseau. Nous avons été formés pour soigner des gens et eux, pour administrer. Le hic, dans tout ça, c'est qu'on ne peut plus faire notre job comme du monde à cause d'un groupe de fonctionnaires qui gèrent un ministère à partir de politiques et procédures sans utiliser une once de gros bon sens.

– Donc, si je comprends bien, Philippe, tu n'apprécierais pas que j'en invite certains, samedi prochain, au *Bistrot à Champlain*? lança Michel Patoine.

Philippe le fusilla du regard. Voir s'il apprécierait de déguster les vins d'une des meilleures caves du Québec en leur compagnie.

Philippe ne répondit pas et continua à se défouler.

– Imaginez-vous si la santé était administrée par des gestionnaires du privé, je vous jure que la machine virerait de bord! Je suis convaincu qu'ils réussiraient à faire fonctionner ce réseau-là.

– C'est évident, Philippe, ajouta Jean Lepage, mais nous n'en sommes pas là.

Philippe se donna le droit d'exprimer toute la frustration qu'il retenait depuis trop longtemps.

Paul reprit :

– L'important, Philippe, c'est que la sous-ministre n'a pas fermé la porte. Vrai?

– Exactement.

Il mentionna que, peu importe la décision qu'elle prendrait concernant Sainte-Famille, il se rangerait derrière elle.

– Après avoir réglé ce dossier-là, elle se verra offrir un poste par le privé. Elle a beaucoup trop de potentiel pour rester avec cette bande d'incompétents.

– Ouais. Plus j'y pense, plus je trouve que j'ai une bonne idée. Je vais tous les inviter samedi prochain à Sainte-Marguerite-du-Lac-Masson! nargua à nouveau Michel Patoine en faisant un clin d'œil à Jean Lepage.

– Dossier à suivre ? demanda Paul en voyant que Philippe ne répliquait pas à l'allusion impertinente de Michel.

– Dossier à suivre ! répondit Philippe.

Philippe discuta avec ses collègues de la stratégie à adopter dans les semaines à venir. Ils devaient laisser le temps à la sous-ministre de rencontrer tous les gens concernés avant de recommander quoi que ce soit à leurs membres. Le mot d'ordre fut clair. Les médecins de Sainte-Famille devaient continuer à coopérer. De toute façon, le processus de fusion était en suspens, jusqu'à la décision finale du Ministère, en mars.

Tous le remercièrent et chacun retourna à ses activités en ayant reçu la consigne suivante : rien ne devait transpirer de cette rencontre. Absolument rien.

* * *

Philippe empruntait la passerelle du troisième étage pour se rendre au pavillon De Maisonneuve lorsqu'il aperçut, au bout du corridor, son beau-frère qui s'amenait vers lui.

– Salut, Pierre !

Celui-ci fit un signe de tête ; il semblait préoccupé.

– Tiens, te voilà ! As-tu rencontré, aujourd'hui, la personne tant désirée ?

– Oui, Monsieur ! Mais notre réunion a dû être écourtée suite à une urgence.

– Tu te fous de ma gueule !

– Non, je suis sérieux ! Notre rencontre a duré à peine dix minutes.

– Tu prévois la revoir quand ? demanda-t-il étonné.

– Aucune idée. Son adjointe va rappeler pour fixer une autre date.

– Ta croisade ne commence pas sous de bons augures !

– Ah ! Quoi qu'il arrive, on verra en temps et lieu. Pour l'instant, j'ai d'autres chats à fouetter ; deux patients m'attendent, lança-t-il tout en s'éloignant de Pierre.

– Donne-moi des nouvelles lorsque tu en sauras un peu plus, finit par dire Pierre, souhaitant que Philippe l'ait entendu.

Pierre continua sa route vers la direction des services multidisciplinaires, puis se ravisa. Il revint sur ses pas pour aller informer le directeur général de la dernière nouvelle. « C'est Lapointe qui va être content d'entendre ça ! »

Pierre entra à la direction générale :

– Fait-il beau aujourd'hui ?

– C'est partiellement ensoleillé ! répondit l'adjointe administrative de Roger Lapointe. Vous désirez le voir ?

– S'il vous plaît !

Estelle vérifia auprès de son patron s'il était disposé à recevoir Pierre. En raccrochant, elle lui fit signe d'entrer.

En effet, Roger semblait de bonne humeur, une situation de plus en plus rare, surtout depuis le jour où les médecins de Sainte-Famille avaient décidé de ne plus collaborer au processus d'intégration. Ces principaux acteurs devaient se résigner au même titre que les employés syndiqués, sinon le projet serait imposé de toute façon par le ministère de la Santé. C'est pourquoi les directeurs avaient convenu, avec son adjointe, de l'utilisation d'un code lorsqu'ils désiraient lui parler : demander le temps qu'il faisait. Si elle répondait qu'il y avait apparence d'orage ou de tempête de neige, il s'avérait préférable de ne pas le rencontrer. Par contre, si le temps annoncé était de nuageux à ensoleillé, les directeurs n'auraient qu'à doser leurs demandes en fonction de cette réalité.

– J'ai une bonne nouvelle pour toi !

– Ah oui ? dit Pierre, surpris d'une telle entrée en matière.

– Je viens de m'entendre avec Kirouac de la Régie régionale. Il va parler avec Urgence-Santé afin de détourner les ambulances pour les vingt-quatre prochaines heures sauf pour l'unité de traumatologie.

– Comment as-tu réussi ce tour de force ? Ils ne veulent plus que l'on détourne les ambulances.

– Disons qu'il m'en devait une...

– Où vont-ils les diriger ?

– Au Memorial, entre autres. Ils n'ont que quinze civières occupées présentement.

– Ça se peux-tu ? Comment se fait-il que le Memorial ait si peu d'occupation pendant que nous croulons sous quatre-vingt treize civières ? Il n'y a même pas deux kilomètres qui nous séparent.

– Problème de langue, Pierre !

– Maudite langue, dit-il exacerbé. Bon. Vingt-quatre heures, c'est mieux que rien. Quarante-huit heures auraient été préférables.

– Tu sais comme moi que la Régie régionale n'aurait jamais autorisé ça. Toutes les deux heures, ils vont réévaluer la situation avec Urgence-Santé.

– Bonne nouvelle. Au moins, ça va nous donner la chance de transférer des patients aux étages en autant qu'on puisse être en mesure de donner des congés.

Pierre se frotta la tête.

– Le monde est malade, ça n'a pas de sens ! En passant, as-tu avisé les soins infirmiers ?

– Je m'apprêtais à le faire.

– D'accord. Si tu n'as pas d'objection, j'appelle tout de suite Provencher pour lui annoncer la mesure temporaire, puis je te laisse appeler Thérèse après.

– Vas-y !

Pierre parla au coordonnateur de l'urgence qui accueillit la nouvelle favorablement et, ensuite, Roger

Lapointe communiqua avec la directrice des soins infirmiers. Celle-ci l'informa qu'il y avait encore une menace de *sit-in* à l'urgence si cinq infirmières n'acceptaient pas d'effectuer des heures supplémentaires. Le directeur général la pria de rassurer les infirmières et de motiver certaines, du quart de jour, à rester pour celui du soir.

Une fois qu'il eût raccroché, Roger Lapointe regarda Pierre.

– Tu voulais me voir?

– Oui. Je viens juste de croiser Philippe dans le corridor. J'ai pensé que tu serais content d'être mis au parfum des suites de sa rencontre avec la nouvelle sous-ministre aux immo.

– Ah oui! Ils se rencontraient aujourd'hui, ces deux-là!

– Bien, c'était censé!

– Comment, censé?

– Imagine-toi donc que la sous-ministre a dû mettre fin à la rencontre après seulement dix minutes.

Roger Lapointe fit un large sourire.

– Quelle surprise! Je te l'avais dit que ça ne marcherait pas! Voyons donc, est-ce que le Ministère a le temps de rencontrer un président de CMDP pour un dossier de cette ampleur! Des fois, j'ai l'impression que Philippe ne comprend pas la *game* politique qui se cache derrière ce genre de dossier.

– Je ne suis pas nécessairement d'accord avec ce que tu avances, mais disons que pour l'instant ça s'annonce mal, ajouta Pierre en se levant. C'est tout ce que j'avais à te dire. Toi, de ton côté, as-tu reçu d'autres directives du Ministère?

Roger se leva à son tour et ôta ses lunettes.

– J'étais pour vous en parler demain matin au comité de direction. Étant donné que tu me poses la question, je vais te répondre tout de suite.

Il remit ses lunettes.

– La ministre m'a téléphoné ce matin pour m'aviser d'arrêter de travailler sur le dossier du CSUGM, car le Ministère a d'autres priorités.

– Voyons donc, c'est quoi cette histoire-là?

– Je n'en sais rien! Veulent-ils laisser le temps à la sous-ministre de se familiariser avec le dossier ou est-ce une nouvelle stratégie politique? Je ne peux te répondre.

Roger fit quelques pas vers la fenêtre et regarda dehors; des oiseaux jouaient dans un érable.

– Pierre, je n'ai même plus de *fun* à travailler dans une atmosphère pareille. Nous travaillons tous comme des forcenés à tenter de renverser la machine, mais j'ai l'impression que nous perdons notre temps.

Pierre trouvait que son patron montrait des signes de découragement. «Comment pouvait-il gérer de la main droite lorsque sa main gauche ne savait pas où elle se dirigeait», songea-t-il en pensant aux directives contradictoires qu'ils recevaient de la Régie régionale ou du Ministère. Ces trois dernières années, il avançait d'un pas pour mieux reculer de deux.

Pierre décida de le faire parler. Roger Lapointe semblait en ressentir un énorme besoin.

– Pourquoi dis-tu ça?

– Écoute, il ne faut pas être un grand clerc pour comprendre qu'il se trame quelque chose de pas catholique en ce moment. Quoi au juste? Je n'en ai pas la moindre idée mais, ça sent pas bon, en tout cas. Même le directeur général de la Régie régionale ne retourne pas mes appels. Ajoute le fait que la ministre demande de cesser de travailler sur ce dossier, puis Grenier qui ne retourne pas mes appels non plus...

– Ouais! tu marques un point. C'est effectivement bizarre.

– De toute façon, j'en reparle demain à la réunion. Je vais suggérer que nous continuions à mettre l'accent sur nos patients et à solutionner le problème de l'urgence. C'est la seule chose que nous puissions faire pour l'instant.

– Et de calmer nos docteurs! dit Pierre.

– Effectivement! Ce qui n'est pas une mince tâche.

– Par contre, ces temps-ci, ils sont un peu plus silencieux?

Pierre se dirigea vers la porte.

– Disons que la tempête s'est adoucie car ils s'attendent tous à ce que Philippe réalise un miracle. Lorsque l'exécutif va apprendre que la rencontre d'aujourd'hui n'a rien donné...

Il fit une pause.

– Ne t'inquiète pas, Roger. On va passer au travers, mais n'empêche que c'est un maudit dossier!

– Un maudit dossier? rétorqua Roger. C'est de la *marde*.

Pierre sourit tout en le saluant.

– Salut. À demain!

– À demain, laissa-t-il échapper, abattu.

Pierre quitta la direction générale puis se dirigea vers son bureau après avoir salué Estelle. «Va-t-on finir par résoudre ce problème-là un jour? pensa-t-il. Toutes ces énergies déployées ces dernières années pour absolument rien. Comment a-t-on pu, si longtemps, laisser les gouvernements tergiverser sur l'avenir de Sainte-Famille? Qui sont-ils pour juger de la raison d'être de cet établissement? Le seul résultat qu'ils ont réussi à atteindre, c'est d'avoir pris en otage des patients qui méritent seulement de recevoir les soins d'une équipe de médecins et de professionnels compétents et heureux de venir travailler dans ce que plusieurs considéraient, il n'y a pas si longtemps, comme leur seconde famille.»

Selon Pierre, les hauts fonctionnaires et les politiciens, ignares du système de santé et en mal de vedettariat, n'avaient réussi qu'à démotiver une communauté de donneurs de soins ainsi que leurs gestionnaires. Un échec total.

Pierre commençait à ressentir de l'admiration envers son beau-frère. Il livrait un noble combat; Philippe croyait en son hôpital et ferait l'impossible pour le sauver.

« Pourquoi suis-je incapable de l'appuyer ouvertement dans sa croisade? Qu'est-ce qui m'empêche d'affronter Lapointe et les autres directeurs? »

Pierre revint à lui et entra dans son bureau.

Une fois installé à son fauteuil, il se dit qu'il n'était probablement pas le seul à penser ainsi. Un malaise généralisé était palpable au sein du comité de direction du CSUGM. Le ministère de la Santé avait nommé Roger Lapointe pour piloter ce projet de fusion. Deux mois seulement après son entrée en fonction, il avait procédé à la nomination de six directeurs, dont trois provenaient de Sainte-Famille. Afin d'assurer un contrôle de tous les instants, Roger Lapointe avait préconisé un style de gestion centralisée.

Dès les premières réunions du comité, les directeurs avaient compris que leurs opinions seraient secondaires; leur rôle était purement accessoire dans ce processus d'intégration. Pantins ou marionnettes, leurs responsabilités se limiteraient à mobiliser leurs équipes respectives pour qu'ils entrent dans les rangs. Un point, c'est tout.

« Pourquoi agissait-il ainsi? » se demanda Pierre. Pourtant, la réputation de Roger Lapointe, dans le réseau de la santé et des services sociaux, n'était plus à faire. Où étaient donc passées ses qualités de bon gestionnaire, de rassembleur ayant réussi des réorganisations administratives importantes dans plusieurs établissements hospitaliers menacés de tutelle?

Personne n'avait rêvé. Ce gestionnaire détenait toutes les compétences requises pour occuper un tel poste. Qu'est-ce que le ministère de la Santé et des Services sociaux lui avait demandé pour qu'il change à ce point?

Depuis sa nomination, une bataille de tous les instants sévissait entre la direction générale et les médecins de Sainte-Famille. Les employés généraux, le personnel infirmier et spécialisé des trois centres hospitaliers, ainsi que les médecins, sauf ceux de Sainte-Famille, avaient finalement accepté de participer au processus de fusion. Pourquoi les médecins de Sainte-Famille résistaient-ils tant? Pour eux, le CSUGM n'était pas la solution.

La réputation de Sainte-Famille n'était plus à faire. Année après année, on y avait effectué moult découvertes, formé des médecins de renom, accueilli des étudiants étrangers. Cette institution ne méritait pas de se faire anéantir par un groupe de hauts fonctionnaires dont l'ignorance n'était plus à démontrer.

Toutes sortes de rumeurs circulaient à propos de la nouvelle entité hospitalière; la plus récente mentionnait qu'une décision avait été prise pour construire un CSUGM à un seul emplacement, soit à l'île Notre-Dame, et réunir l'ensemble du personnel et les médecins dispersés dans ces trois organisations que quatre kilomètres séparaient les unes des autres.

Cette solution, tout à fait ridicule selon eux, ne faisait qu'alimenter la grogne du personnel hospitalier et de la population. Tous étaient convaincus qu'il était illogique d'enlever deux centres hospitaliers au cœur du centre-ville de Montréal, où déambulaient, du lundi au vendredi, près de six cent mille personnes.

Pierre ouvrit son tiroir et sortit son cahier noir. Il inscrivit que la rencontre entre Philippe et la sous-ministre avait avorté puis fit un compte rendu des propos tenus avec Roger Lapointe.

Une fois ces notes transcrites, il ferma son cahier et le rangea. Tout à coup, en repoussant le tiroir, il se ravisa et le ressortit de nouveau. Pour la première fois, il osa écrire ce qu'il pensait vraiment de la situation. Mais il devait prendre une décision : serait-il capable, en tant que DSP, de se mobiliser derrière Philippe et les autres médecins pour défendre leurs volontés et les droits auxquels ils tenaient tant ? Et les deux autres directeurs s'engageraient-ils avec lui dans cette bataille ? Et certains membres du conseil d'administration ? La moitié d'entre eux étaient en total désaccord avec la fusion.

Si le DSP ainsi que d'autres directeurs osaient avancer ouvertement ce qu'ils pensaient de ce dossier, tous les détracteurs mis ensemble... peut-être y aurait-il un revirement de situation ? Dans ce cas, le directeur général n'aurait pas d'autre choix que de revoir ce projet, sinon la majorité serait contre lui.

Il y avait un prix à payer s'il s'aventurait dans une pareille croisade ; tout un risque à courir, lui qui jouissait d'une certaine notoriété en occupant le poste de directeur des services professionnel d'un des plus grands centres hospitaliers universitaires du Québec.

Il se devait d'y réfléchir sérieusement.

CHAPITRE XI

Méli-mélo

Le vendredi, Caroline quitta son travail vers quinze heures, après une fête donnée en son honneur. Tous ses collègues étaient présents, sauf Philippe. Il avait prétexté une entrevue avec son avocat pour la préparation d'un dossier en vue d'un témoignage à titre d'expert.

Lorsqu'ils apprirent qu'elle quittait définitivement le département de gastro-entérologie, tous furent étonnés; le docteur St-Laurent et elle semblaient si complices. Ses collègues se demandaient pourquoi elle abandonnait la médecine clinique et avait choisi la recherche, un milieu si fermé. Qu'est-ce qui pouvait bien l'amener à vouloir relever ce nouveau défi? Le type de nursing qu'elle y pratiquerait était à l'opposé de tout ce qu'elle avait effectué à ce jour.

Malgré toutes ces interrogations restées sans réponse, ils lui souhaitèrent bonne chance tout en lui précisant qu'elle serait toujours la bienvenue pour participer à leurs activités sociales. Bien qu'elle appréciât cette délicatesse, une page s'apprêtait à se tourner.

* * *

En ce début d'année, les nuits de Claire étaient caractérisées par de grandes périodes d'insomnie. Une distance s'était installée entre son mari et elle, voire un doute quant à sa fidélité.

Eux qui faisaient l'amour au moins une fois par semaine, elle trouvait curieux que Philippe l'évite depuis leur dernière rencontre intime dans la douche. Pourquoi s'esquivait-il lorsqu'elle s'approchait de lui ?

Alléguant sans cesse qu'il travaillait au dossier de Sainte-Famille, il rentrait de plus en plus tard le soir. Puis il y avait cette image. Cette seule et même image qui lui revenait toujours à l'esprit ; le regard de Philippe quand il avait aperçu Caroline devant *Chez Lévêque.* Cependant, ce qui lui avait mis la puce à l'oreille, c'est le moment où elle lui avait demandé si la passante était Caroline. « Oui. Je crois que c'est elle. » C'est cette réponse qui l'avait surprise. Philippe n'était pas du genre à hésiter ainsi. En général, il n'y avait pas de zone grise avec lui ; c'était oui ou non, mais pas « je crois ».

Et les messages répétés de Caroline le 16 décembre. Bien qu'au départ ceux-ci aient paru anodins, la réaction de Caroline lorsqu'elle lui avait demandé si Philippe y avait donné suite l'avait étonnée ; elle avait bien remarqué la nervosité soudaine de Caroline et la sueur perler sur son front.

Tranquillement, elle collait les morceaux du casse-tête, un à un. Par contre, était-ce la véritable raison de la froideur de Philippe ? Il était possiblement très fatigué et ces détails n'étaient, en fait, que de futiles coïncidences. Mais, il n'y avait aucun doute que l'humeur de Philippe avait changé au cours des dernières semaines. Elle l'avait remarqué et Lise aussi, même si elle n'avait pas apprécié son commentaire le matin de la veille de Noël.

La veille de Noël ! Jamais elle n'oublierait la réception chez les Champagne. Philippe n'avait eu d'yeux que pour cette sous-ministre et l'avait ignorée toute la

soirée. Comment avait-elle pu tolérer un tel comportement ? s'était-elle demandé le lendemain. Même si elle
n'était pas assise à ses côtés, il aurait pu lui lancer un
regard de temps en temps. Même pas ! Toute son attention s'était portée sur cette femme qui « l'aiderait à
obtenir ce qu'il voulait », selon ses dires.

Claire n'était pas dupe. Elle avait bien remarqué
que son mari semblait envoûté par Marie-France. Ils
avaient semblé seuls au monde, les autres invités
n'ayant eu aucune chance de pénétrer dans la bulle
où ils s'étaient réfugiés, coupés du reste du monde.

Philippe se montrait toujours très correct dans les
soirées mondaines. Mais, ce soir-là, elle eut l'impression de voir un autre Philippe, un être de plus en plus
fébrile. Qu'arrivait-il à l'homme qui partageait sa vie ?
Existait-il toujours ? De quelle façon devait-elle aborder
cette situation ?

* * *

La semaine du 10 janvier fut étourdissante pour
Marie-France. Immédiatement après sa rencontre avec
Philippe, elle avait demandé à son adjointe de convoquer les hauts dirigeants du CSUGM et de la Régie
régionale de Montréal-Centre à une réunion le lundi
matin à son bureau de Montréal. Elle devait obtenir
leur opinion à propos de ce dossier et savoir ce qui
empêchait tant le CSUGM de prendre son envol.

Elle avait analysé le document que Philippe lui
avait laissé et relu tout ce qui avait été rédigé à propos
de Sainte-Famille depuis les dix dernières années.

La suggestion de Philippe était originale. C'était bien
de vouloir résoudre le problème de fusion en érigeant
un seul hôpital universitaire, mais qu'adviendrait-il du
centre-ville de Montréal si on le dépouillait de deux
centres hospitaliers. Cette idée était à évaluer. De quelle

façon les médecins, responsables de former des internes et des résidents, réussiraient-ils à fournir un enseignement adéquat? Le nombre de bénéficiaires et la complexité des cas seraient tellement restreints que la formation de ces futurs médecins s'en verrait peut-être entachée, avait-il tenu à préciser.

Marie-France était anxieuse à l'idée de rencontrer ces quatre administrateurs. Qu'est-ce qu'ils auraient à lui apprendre de nouveau sur ce qu'elle avait pu lire dans les journaux et dans les rapports produits au cours des dernières années, et des dernières semaines?

La réunion eut lieu comme prévu, le lundi matin. Le temps était glacial. Tous étaient d'accord sur un point : le CSUGM demeurait la solution ultime, mais sur un seul site. Le directeur général reconnaissait qu'il y avait des guerres de clocher entre les spécialités médicales, que les chasses gardées étaient encore très présentes à l'intérieur de chacun des établissements. Cependant, si le ministère de la Santé et des Services sociaux autorisait la construction d'un seul centre hospitalier de mille lits au lieu de huit cent cinquante, les médecins, ainsi que l'ensemble des employés entérineraient cette décision.

Le directeur général du CSUGM semblait assuré du succès de cette solution. C'est pourquoi Marie-France décida de sonder les opinions des autres participants sur la proposition de retirer Sainte-Famille du processus d'intégration et de le fusionner plutôt avec les trois CLSC environnants et les deux CHSLD.

Dès qu'elle présenta cette option, un malaise s'installa parmi les quatre représentants. Ils se demandaient d'où sortait cette option. Bien que Roger Lapointe eût sa petite idée à ce sujet, il s'y opposa vivement, mentionnant que ce type de structure n'était pas idéal et qu'il était illusoire de prétendre par ce moyen régler les problèmes actuels. Le directeur général de la Régie régionale, pour sa part, ne semblait pas voir cette option d'un si mauvais œil, se demandant pourquoi ses collaborateurs n'y avaient pas pensé plus tôt.

Mais les deux présidents de conseil d'administration s'y opposèrent vivement; pour eux, il n'y avait aucun doute que le CSUGM devait demeurer à un seul emplacement. Ceci représentait la meilleure décision. La rencontre se termina vers onze heures trente et, curieusement, personne ne fit allusion à Philippe St-Laurent. Elle en fut très surprise.

Dans l'après-midi, Marie-France était retournée à Québec avec la sensation qu'elle avait perdu son temps. Qui voulait-on protéger dans cette histoire-là? s'était-elle demandé sur le chemin du retour.

Elle avait consacré le reste de la semaine à travailler avec ses collaborateurs jusqu'à très tard le soir. Toutes les possibilités furent analysées, tant la survie du CSUGM que le retrait de Sainte-Famille.

* * *

Le mardi fut une journée éprouvante pour Philippe. Il dut affronter l'ensemble des médecins de Sainte-Famille et répondre à leurs questions. Bien que le processus de fusion des spécialités médicales fût suspendu, l'anxiété mais surtout la frustration étaient à leur paroxysme.

Filion, le chef de l'unité de traumatologie, n'était pas étranger à l'affrontement. Malgré que Philippe eût demandé à Michel Patoine de s'en occuper, Filion, passé maître dans l'art d'attiser les chicanes, s'en donnait à cœur joie pour inciter les médecins à démissionner en bloc le premier mars.

Si ceux-ci avaient rencontré l'exécutif du CMDP le 14 décembre, alors que Philippe leur avait promis de s'occuper du dossier, personne ne voyait de résultat à ce jour.

Les médecins lui lancèrent des critiques acerbes, voire virulentes. Ils accusaient l'exécutif de ne pas faire preuve de transparence dans le dossier; tout semblait s'effectuer par en dessous comme se plaisait à insinuer ce cher Filion qui, bien qu'excellent médecin, avait un sale caractère.

Philippe, entouré de son comité, dut remettre les pendules à l'heure. Il mentionna aux médecins que le dossier évoluait et que c'était dans l'intérêt de tous de collaborer. S'ils maintenaient leur ultimatum d'abandonner le navire, la survie de Sainte-Famille serait menacée. C'était à eux de décider. S'ils voulaient éviter ce naufrage, ils devaient lui faire confiance, sinon tous couraient à leur perte.

Finalement, la réunion s'était terminée trois heures plus tard, tous sauf Filion étant d'accord pour reconduire le mandat de Philippe afin de défendre ce dossier. Il n'y avait pas de doute; il était toujours l'homme de la situation, n'en déplaise à Filion. Mais une mise en garde avait été lancée à l'exécutif du CMDP. Si rien n'évoluait d'ici le premier mars, les médecins mettraient à exécution leur plan sans préavis. Malgré la loi; ce n'était plus négociable.

* * *

Depuis qu'ils s'étaient vus à son bureau de Montréal, Philippe ne quitta guère les pensées de Marie-France. Elle le trouvait intéressant. Son regard perçant, sa conviction à vouloir défendre cette vénérable institution l'avaient profondément touchée. « Pourquoi je réagis ainsi ? » pensa-t-elle. Jamais, depuis le début de sa carrière professionnelle, elle n'avait eu à composer avec une situation semblable. Elle devait décider du sort d'un établissement et rien ne devait l'influencer ; les enjeux étaient considérables.

Elle analysa à nouveau la solution proposée par Philippe et les autres options. Celle de Philippe lui semblait toujours la plus logique dans le contexte actuel. Pourquoi le gouvernement et la ministre paraissaient-ils si persuadés que le CSUGM était l'ultime solution ? Qui voulait-on protéger ? s'était-elle demandé à nouveau. Toutes ces questions qu'elle se posait depuis les derniers jours restaient sans réponse.

Après avoir longuement réféchi au cours de la fin de semaine, elle demanda à son adjointe, le lundi matin, de communiquer avec le docteur St-Laurent. Elle désirait le rencontrer à Québec, le 21 janvier à neuf heures.

Lorsque Madame Cossette informa Philippe de l'appel provenant de Québec, son cœur bondit.

– Ce vendredi ?

– Oui, répondit-elle. Elle désire assurer un suivi à votre entretien du 5 janvier dernier.

– Ça alors ! s'exclama-t-il. Quelle bonne nouvelle ! Où aura lieu la rencontre ?

– À Québec, plus précisément à l'édifice Catherine de Longpré sur le boulevard Sainte-Foy... Désirez-vous une chambre pour la veille ? Je pourrais vous en réserver une dans le Vieux-Québec.

Philippe trouva l'idée, excellente. Ainsi il quitterait Montréal immédiatement après avoir terminé sa clinique le jeudi après-midi.

CHAPITRE XII

Le grand aveu

Philippe venait de terminer sa clinique lorsque la secrétaire entra dans son bureau. Il était seize heures.

– Docteur St-Laurent, voici vos messages. Vous en avez reçu un de la part de Madame Tousignant. Elle désire que vous la rappeliez absolument avant votre départ pour Québec.

– Merci, Josette.

Pendant qu'elle refermait la porte, Philippe examina le message, laissant échapper un soupir de déception.

– Gageons que la rencontre est annulée, fit-il en composant le numéro de téléphone inscrit sur la note.

– Marie-France Tousignant!

– Bonjour, Madame Tousignant. Ici Philippe St-Laurent, dit-il étonné qu'elle réponde elle-même.

– Bonjour, Philippe, ça va bien?

– Très bien. On se rencontre toujours demain matin?

– Tout à fait! Même heure, même poste.

– Parfait, j'y serai!

– Prévoyez-vous coucher à Québec ce soir?

– Oui, je m'apprête à partir. Pourquoi? demanda-t-il, inquiet.

– Que diriez-vous d'aller manger chez *Serge Bruyère*, dans le Vieux-Québec? Je réserverais une table pour dix-neuf heures trente.

– Très bonne idée! lança-t-il. Surtout que je logerai tout près.

– Ah oui? Vous serez à quel hôtel?

– Au *Capitole*.

– C'est parfait. *Serge Bruyère* est à quelques minutes de là.

– À dix-neuf heures trente, donc? lui demanda-t-il à nouveau.

– Dix-neuf heures trente. La réservation sera à mon nom.

– Très bien, Marie-France. À plus tard!

– À plus tard, Philippe.

Philippe raccrocha. Son cœur battait la chamade. Comment avait-il pu réussir à tenir cette simple conversation! Il y avait si longtemps qu'il n'avait pas éprouvé pareille sensation. Même pas avec Caroline, bien qu'elle l'eût chaviré pendant un certain temps.

Cette femme, qu'il connaissait à peine, remettait à nouveau sa vie en question. Le cas de Caroline était réglé... celui de Claire était toujours en suspens... et celui de Sainte-Famille? Comment résisterait-il à cette fonctionnaire avec qui il devait négocier? Il avait beau se raisonner, un pressentiment lui commandait de vivre cette passion jusqu'au bout. Marie-France incarnait la force, le dynamisme, l'assurance d'une batailleuse. Le genre de femme dont il avait besoin dans sa vie : une fonceuse comme lui.

Philippe salua Josette et quitta le bureau. Dans le stationnement, au moment de pénétrer dans la voiture, il se ravisa et décida d'entrer quelques minutes à l'hôpital, au service des communications.

Une fois que la téléphoniste lui eut remis ses messages, il se dirigeait vers la sortie, lorsque Claire s'avança vers lui.

– Tu pars déjà pour Québec? demanda-t-elle.

– Oui, à l'instant.

– Bon voyage, alors! Tu prévois être de retour vers quelle heure, demain?

Il respira profondément avant de lui répondre.

– Sûrement pas avant le souper. Puis... en passant, fais attention! Personne n'est au courant que je vais à Québec, sauf toi et ma secrétaire.

Faisant fi de sa remarque désobligeante, elle continua :

– C'est décevant. J'aurais tellement aimé que nous allions au restaurant ou au cinéma, demain soir.

– On verra, Claire. Tout dépendra de l'heure à laquelle la réunion se terminera, ajouta-t-il d'un ton glacial, non intéressé, ces jours-ci, à un souper intime avec sa femme.

Elle s'approcha pour l'embrasser.

– Pas ici, Claire! lâcha-t-il en reculant de quelques pas.

– Qu'est-ce qui te prend? Je suis ta femme après tout! dit-elle, blessée par son comportement.

Philippe ferma les yeux, lui faisant comprendre que le moment était mal choisi pour amorcer ce genre de discussion dans l'entrée principale.

– Bonne soirée, Claire!

Elle le dévisagea, amère, et elle quitta les lieux sans toutefois lui répondre. Elle dut faire preuve d'une force surhumaine pour ne pas pleurer dans le corridor. Pourquoi cette soudaine indifférence?

Elle ferma la porte de son bureau et s'effondra en larmes, recroquevillée dans son fauteuil. Quels étaient les avantages d'être si riche, songea-t-elle. Une grande maison, une gouvernante, trois voitures et des carrières? L'essentiel n'y était plus. Puisque le travail avait pris toute la place dans leur vie, ils n'avaient jamais vraiment consacré de temps à lier des amitiés profondes. Sa mère étant décédée depuis quelques années, son père profitait de la vie avec sa nouvelle compagne et rares étaient les occasions où elle visitait son frère à l'extérieur de l'hôpital. Pour elle, seuls Philippe et les enfants comptaient, mais pour combien de temps encore?

« Avoir fait tant de sacrifices, pour absolument rien! » lança-t-elle. Elle venait de fêter ses douze ans de mariage avec un homme qui la trompait peut-être depuis des années. Pourquoi aurait-elle dû se méfier de celui qu'elle aimait tant?

* * *

Il était dix-sept heures lorsque Philippe s'engagea sur l'autoroute Jean-Lesage en direction de Québec. Il pensait à Claire. « Elle doit se douter de quelque chose ».

Au cours de sa relation avec Caroline, il avait tant souhaité épargner sa femme. Jamais il n'aurait osé quitter Claire pour aller vivre avec sa maîtresse même si elle était une véritable bombe sexuelle. Bien que Caroline l'ait épaulé dans ses projets, les sentiments qu'il éprouvait pour elle étaient plus sexuels qu'amoureux.

Avec Marie-France, il pensait autrement. Cette belle et intelligente professionnelle de quarante ans, célibataire et sans enfant, le chavirait complètement.

* * *

Marie-France était retournée chez elle pour se doucher. Au début de décembre, elle avait emménagé dans un petit loft situé sur la rue Dauphine dans le Vieux-Québec. Elle y demeurait seule depuis à peine une semaine, ayant mis fin à sa relation avec Daniel le lendemain du jour de l'An.

« Qu'est-ce que ça me donne d'entretenir une relation avec un homme quand mon cœur bat déjà pour un autre ? » avait-elle dit à l'une de ses amies.

Marie-France excellait dans plusieurs domaines, sauf celui de l'amour. Dès qu'une relation atteignait les six mois, un déclic s'opérait en elle, lui commandant de mettre fin à l'idylle. Un seul homme avait réussi à passer la barre de cette période critique : Daniel, son ex-conjoint. En mai, ils auraient fêté leur troisième anniversaire de vie commune.

Pourquoi agissait-elle ainsi ? Pour mieux comprendre son comportement, elle avait consulté un psychologue à quelques reprises mais, chaque fois, elle abandonnait après la deuxième séance. Dès que celui-ci tentait de fouiller les événements qui avaient marqué son enfance, une réaction viscérale se manifestait en elle, incapable d'affronter la réalité. Une amie lui avait dit : « Tant que tes conflits intérieurs ne seront pas résolus, tu butineras de fleur en fleur pour trouver l'homme idéal. »

Une fois séchée, elle enfila une robe couleur café au lait. Croisée devant, celle-ci laissait apparaître la naissance de ses seins. Elle glissa sur ses jambes, fraîchement rasées, une paire de bas en soie diaphane beige et se chaussa de souliers de cuir brun clair. Elle se fit un chignon, puis laissa une mèche de cheveux longer son visage. Elle mit ses boucles d'oreilles en or et inséra, dans son annulaire droit, la bague assortie.

Elle quitta son loft à dix-neuf heures et quart pour se rendre chez *Serge Bruyère*. Elle emprunta la rue Sainte-Anne puis marcha à travers les étroites rues du Vieux-Québec. Une fois sur De Buade, elle s'y engagea et continua sa route jusqu'à la Côte-de-la-Fabrique en passant devant la Basilique de Québec. Elle dut faire preuve de prudence en descendant la côte ; celle-ci était légèrement glacée.

L'atmosphère à l'extérieur était magique. Avec cette neige qui valsait autour d'elle parmi toutes ces décorations de Noël que les commerçants n'avaient toujours pas retirées, la balade s'avérait des plus romantiques.

Une fois arrivée au restaurant, elle jeta un bref coup d'œil autour d'elle. Philippe ne s'y trouvait pas. Elle décida tout de même d'entrer. Le maître d'hôtel l'accueillit.

– Bonsoir, Madame, fit-il, avec naturel.

– Bonsoir. Mon nom est Marie-France Tousignant. J'ai une réservation pour dix-neuf heures trente.

– Un moment, je vous prie.

Le maître d'hôtel vit la note inscrite à côté de son nom : « sous-ministre de la Santé, Petit Salon ». Rapidement, il se reprit, adoptant un ton protocolaire.

– Madame la sous-ministre ! Vous allez bien ?

– Très bien, merci, répondit-elle, souriant en elle-même.

– Vous avez demandé le Petit Salon ?

– Exactement.

– Veuillez me suivre.

Ils montèrent au deuxième étage en empruntant un bel escalier en chêne foncé. Une fois passés devant la Grande Table, ils continuèrent leur ascension en utilisant un escalier étroit en forme de colimaçon pour accéder au Petit Salon. Le maître d'hôtel l'invita à entrer dans le Petit Salon.

La pièce, d'environ vingt-cinq mètres carrés, était pour le moins magnifique. Avec ses couleurs chaudes et les moulures en acajou, l'ambiance était royale.

Le maître d'hôtel l'arracha à ses observations.

– Puis-je vous débarrasser de votre manteau ?

– Bien sûr, dit-elle.

Marie-France ôta son manteau et ses bottes, puis ouvrit son sac à souliers.

– Puis-je vous offrir un apéritif ou préférez-vous attendre votre invité?

– Je vous remercie. Je vais attendre mon invité, Monsieur Philippe St-Laurent.

– Très bien, Madame.

L'homme quitta le salon pendant que Marie-France continuait à faire le tour du propriétaire. Elle avait opté pour le salon privé de la maison *Serge Bruyère* pour éviter toutes formes d'indiscrétion de la part des parlementaires et de certains journalistes qui auraient pu être présents dans la salle à manger. Ne sachant pas si le sujet de Sainte-Famille allait être abordé, elle jugea plus prudent de procéder ainsi; elle ne souhaitait pas voir étaler à la une des journaux le lendemain, des bribes de leur conversation.

La maison *Serge Bruyère*, construite en 1843 sur des voûtes ayant servi d'abri de munitions sous le régime français, était reconnue comme l'un des meilleurs relais gastronomiques de la ville de Québec. Elle était donc très populaire parmi les élus du gouvernement et les grands de ce monde. Et on racontait que Lady Diana, accompagnée du Prince Charles, avait fait un arrêt chez *Serge Bruyère* lors d'un passage à Québec. Invitée au Petit Salon, Lady Diana s'était offusquée de ne pouvoir manger avec « le peuple ». Sans attendre, elle avait exigé qu'une table soit dressée à La Grande Table pour être avec tout le monde.

* * *

Il était dix-neuf heures trente lorsque Philippe arriva.

– Bonsoir, Philippe ! Tu as fait un bon voyage ? lui demanda-t-elle, en lui serrant la main, un brin d'émotion dans la voix.

– Oui, la route était belle. J'ai été chanceux. La neige a commencé à tomber à Laurier-Station.

– Tant mieux. Conduire sur l'autoroute Jean-Lesage lorsqu'il neige, ce n'est pas évident.

– Effectivement.

Philippe jeta un rapide coup d'œil à la pièce.

– Nous serons seuls? fit-il, étonné.

– J'ai pensé réserver ce salon parce que je désirais que les propos de notre conversation demeurent confidentiels. Tu comprends?

– Excellente idée.

Il y avait de l'électricité dans l'air; l'émotion était à trancher au couteau. Il n'y avait plus de doute qu'ils se plaisaient l'un l'autre.

Installés sur le canapé, ils prirent l'apéritif. Elle parla de son enfance, des voyages qu'elle avait effectués avec son parrain et sa marraine. Qu'ils avaient toujours été très présents dans sa vie et, pour cette raison, elle les considérait un peu comme ses parents.

– Ils n'ont pas eu d'enfant, mentionna-t-elle.

– Oui, je sais. Cela semble leur avoir beaucoup manqué.

– Énormément. Ma marraine souffrait d'endométriose et, dans ce temps-là, les traitements connus aujourd'hui pour contrer ce problème n'existaient pas. À trente-cinq ans, son médecin lui a recommandé de subir une hystérectomie car, en plus de son endométriose, elle avait trois fibromes qui lui causaient des saignements entre ses cycles menstruels. Elle s'est donc retrouvée devant l'évidence qu'elle ne pourrait pas avoir d'enfant, sauf s'ils en adoptaient.

Philippe l'écoutait tendrement.

– J'avais dix ans lorsqu'elle s'est fait opérer. Jamais je n'oublierai la journée où elle est arrivée chez mes parents pour sa convalescence. Elle pleurait tellement. Pourquoi ce mauvais sort s'était-il jeté sur eux? Ils auraient fait de si bons parents, n'arrêtait-elle pas de dire. Puis, quelques années plus tard, nous avons remarqué qu'ils avaient fait leur deuil de cette stérilité; ils m'avaient comme filleule et ils profitaient de la vie en voyageant à travers le monde.

Marie-France se tut et prit une gorgée de Martini.

– Et toi? demanda-t-elle.

– Ah! Mon enfance a tourné autour de Sainte-Famille.

Philippe lui raconta que l'hôpital était situé à quelques kilomètres de la maison familiale. Qu'il allait rendre visite régulièrement à son père et à son grand-père lorsqu'ils travaillaient. Il raconta que sa mère était décédée en le mettant au monde et qu'ils furent, ses deux sœurs et lui, élevés par une gouvernante, son père n'ayant pas voulu se remarier.

Il raconta la fin tragique de ses deux sœurs. Son père ne s'était jamais remis de ces décès et avait sombré dans une profonde dépression. Il était mort quelques années plus tard, laissant Philippe orphelin.

Marie-France l'avait écouté sans dire un mot. Quelle triste histoire, pensa-t-elle.

– C'est pour cette raison que, depuis la mort de mon père, je considère Monsieur Champagne comme mon deuxième père. J'avoue ressentir une certaine réciprocité dans nos rapports. Nous n'en avons jamais parlé ouvertement, mais je suis persuadé de ne pas me tromper.

– Possiblement! répliqua Marie-France, songeuse.

Son parrain était visiblement un homme bon. Même s'il n'avait jamais eu d'enfant, il avait réussi à jouer un rôle déterminant auprès de plusieurs personnes.

Bien que les parents de Marie-France fussent extraordinaires, elle avait apprécié de se retrouver dans un lieu où on lui permettait tout ou presque. C'est peut-être pour cette raison qu'elle avait tant de difficulté à conserver une relation amoureuse stable. Étant fille unique, elle n'avait pas eu à partager ou à faire des concessions avec qui que ce soit.

* * *

Le garçon entra pour expliquer le menu et s'enquérir des choix de Philippe et de Marie-France. Tout au long du souper, ils parlèrent tantôt de leur enfance, tantôt des enfants de Philippe, tantôt de leur travail. Ils n'abordèrent à aucun moment le dossier de Sainte-Famille, ni sa relation avec Claire. C'était comme si elle n'existait pas. Mentionner son nom aurait terni l'atmosphère romantique qui régnait dans ce Petit Salon où l'éclairage tamisé, ainsi que la musique classique, rendaient l'ambiance propice à un début de relation amoureuse.

Le serveur se présenta avec le chariot contenant les fromages fins.

– Pouvons-nous vous offrir quelques pièces de fromage ? demanda-t-il.

– Bien sûr, répondit Philippe. Vous allez m'apporter la carte des portos ?

Le serveur revint avec la liste qu'il présenta à Philippe. Après une brève consultation, Philippe regarda Marie-France.

– Me laisses-tu choisir. C'est le moment du repas que j'apprécie le plus.

– Moi aussi, répondit-elle en prenant son ballon de vin rouge afin de boire la dernière gorgée.

Elle tourna la tête vers la fenêtre qui laissait entrevoir une activité toujours présente dans la rue Saint-Jean, malgré l'heure tardive. Elle remarqua aussi que quelques patineurs tourbillonnaient sur la glace aménagée à l'extérieur du Palais Montcalm, en face du *Capitole*. La vue était superbe.

Elle se sentait si bien auprès de lui. En plus de trois heures, ils n'avaient pas cessé de parler une seule minute; l'ambiance était on ne peut plus agréable. Philippe était le genre d'homme qui correspondait exactement à ses désirs. Par contre, deux problèmes se posaient : il n'était pas libre et ils avaient un dossier commun à résoudre.

« Pourquoi les bons gars étaient-ils toujours mariés ? » pensa-t-elle.

– Tu aimes le Stilton ? demanda Philippe en l'arrachant à ses pensées.

– Quelle question ! J'aime beaucoup...

Philippe s'adressa au garçon de table.

– Préparez-nous une assiette comprenant un Stilton, une pointe de Migneron de Charlevoix et un chèvre.

– Vous avez fait votre choix quant au porto, Monsieur ?

– Oui, apportez-nous deux verres de Taylor Fladgate, vingt ans.

– Bien, Monsieur.

Philippe examina Marie-France.

– Que regardes-tu ?

– L'édifice Price derrière l'hôtel de ville. C'est là que le premier ministre demeure maintenant.

Philippe appréciait sa soirée. C'était bon de se sentir amoureux, pensa-t-il. L'ambiance de la soirée était à des années-lumière de celles qu'il avait vécues les derniers temps avec Caroline, puis avec Claire, où la conversation finissait immanquablement autour des enfants. Marie-France était différente. Son dynamisme, ses yeux pétillants le faisaient littéralement vibrer.

Une fois qu'ils eurent dégusté quelques fromages, Philippe demanda au garçon de leur apporter deux cappuccinos. Marie-France, pour sa part, lui fit signe d'apporter l'addition.

– Laisse faire, Marie-France! C'est moi qui paie ce soir.

– Voyons, Philippe! C'est le Ministère qui t'invite.

Avisant le serveur, il lui fit comprendre d'apporter la note de son côté. Une fois que celui-ci eut quitté la pièce, Philippe s'avança vers elle, prit sa main, et la regarda amoureusement. D'une voix très douce, il lui dit :

– À ce que je sache, le Ministère n'était pas présent à notre souper, ce soir.

Marie-France se senti rougir. Une chaleur la pénétra au point où elle voulut quitter la pièce, de peur d'être incapable de lui résister.

– Merci, Philippe. C'est gentil, finit-elle par répondre.

Elle se leva pour aller reprendre ses esprits aux toilettes. En entrant, elle fixa le miroir.

– Pff... soupira-t-elle. Il va me faire mourir!

* * *

Lorsqu'elle en ressortit, Philippe réglait l'addition.

– Tu es prête? dit-il.

– Oui.

– Donne-moi deux minutes, je reviens.

En attendant Philippe, Marie-France fit à nouveau le tour de la pièce.

Elle consulta sa montre, il était vingt-trois heures trente.

«Dommage! pensa-t-elle, la soirée est déjà terminée. J'aurais aimé qu'elle ne finisse jamais.»

Au même moment, Philippe apparut devant elle.

– Tu es prête?

– Eh oui!

Le serveur se présenta avec les deux manteaux, bottes et couvre-chaussures. Philippe aida Marie-France à enfiler son manteau puis ils quittèrent le Petit Salon. Au rez-de-chaussée, Marie-France et Philippe croisèrent le maître d'hôtel.

– Vous avez apprécié votre repas?

– C'était parfait, lança Marie-France.

– Au plaisir de vous revoir. Je vous souhaite une bonne fin de soirée!

– Bonne soirée, répondirent-ils en chœur.

Une fois à l'extérieur, ils s'aperçurent que le temps s'était passablement rafraîchi. Marie-France n'avait aucunement le goût de rentrer chez elle et de terminer la soirée ainsi. Lui non plus. « L'inviter à venir dans mon loft, ça ne se fait pas! Nous avons une réunion ensemble demain matin. » songea-t-elle. « L'inviter dans ma chambre? C'est jouer avec le feu! » pensa-t-il à son tour.

Elle parla la première.

– Aimerais-tu marcher?

– Oui, mais je ne connais pas vraiment le coin, répliqua-t-il en mentant grossièrement.

Ils prirent la direction du *Château Frontenac* en empruntant la Côte-de-la-Fabrique. Au bout, ils tournèrent vers la droite et passèrent devant la Basilique de Québec.

Ils appréciaient de se balader dans la rue complètement déserte. En avançant vers De Buade, ils remarquèrent les deux vitrines toujours illuminées de la *Boutique de Noël*.

– As-tu une objection à ce que nous jetions un rapide coup d'œil aux décorations de Noël exposées dans la vitrine?

– Allons-y! répondit Philippe.

Ils s'arrêtèrent quelques instants devant le commerce où tous les objets présentés étaient de couleur bleu et argenté. Deux immenses sapins, illuminés par des boules bleues translucides, encadraient l'entrée extérieure de la boutique. Marie-France était émerveillée par ce décor enchanteur, n'ayant pas eu la chance de visiter le Vieux-Québec depuis son arrivée dans la vieille capitale.

Philippe se sentit soudain proche d'elle. D'une façon naturelle, il posa son bras sur son épaule. Elle, pour sa part, fit semblant de rien, goûtant chaque seconde que cette nouvelle proximité lui procurait. Que leur arrivait-il ? Ils étaient supposés entretenir une relation d'ordre professionnel, pas de passion.

Malgré ces questions, ils continuèrent leur route. Ils réussirent à parler de tout et de rien, essayant d'ignorer le fait qu'il avait un bras posé sur ses épaules.

Une fois arrivés à Du Fort, ils tournèrent à droite. De cet endroit on voyait le *Château Frontenac*.

Comme ils approchaient de ce célèbre hôtel, Marie-France ne put se contenir plus longtemps.

– Philippe ! Je n'ai pas cessé de penser à toi depuis le 24 décembre, dit-elle, la voix tremblotante.

– Moi aussi, Marie-France, répondit-il doucement.

– Si tu savais comment je me sens présentement !

Ils arrêtèrent de parler lorsqu'ils arrivèrent à la terrasse Dufferin, située tout près du *Château Frontenac*. Les sapins, hauts d'une dizaine de pieds, inondés de boules de lumière nacrée, créaient une ambiance féerique.

– Qu'allons-nous faire, Philippe ?

Il la retourna vers lui et la serra tendrement pendant qu'elle glissait ses bras autour de son cou. Philippe fixa ses yeux puis scruta les moindres détails de son visage. À l'aide de son index, il redessina le contour de ses lèvres et, ne pouvant se contenir plus longtemps, il l'embrassa fougueusement.

Marie-France se laissa emporter par cet élan de passion. Pourtant, depuis leur première rencontre, elle avait tout fait pour chasser ses sacrés démons. Elle ne devait pas succomber à cette tentation mais ce qu'elle éprouvait pour Philippe n'avait rien de cartésien. Elle ressentait de l'amour pour lui, rien que de l'amour. Déjà.

Ils étaient là à s'étreindre dans un endroit public où des connaissances auraient pu les surprendre. Toutefois, à ce moment précis, autant elle que lui se moquaient du monde entier. Elle imagina, une fraction de seconde, que des gens du Ministère auraient pu être témoins de la scène mais elle se ravisa. Ils ne connaissaient pas Philippe. Et s'ils réussissaient à faire éventuellement le lien, ils n'auraient qu'à la congédier.

Ils s'arrêtèrent quelques secondes puis reprirent de plus belle avec véhémence. Philippe ressentit le désir de la caresser, mais changea d'avis. Il devait jouer la prudence.

Marie-France l'observa.

– Que nous arrive-t-il, Philippe? dit-elle, encore étonnée.

– Je n'en sais rien, Marie-France. J'ai essayé de repousser cette tentation...

– Depuis quand éprouves-tu des sentiments pour moi?

Philippe la regarda en lui lissant les cheveux.

– Depuis la première minute où je t'ai rencontrée chez ton oncle. J'ai ressenti un coup de poignard me traverser le corps. Je n'en revenais pas de réagir ainsi. Et toi?

– Exactement au même moment. J'ai été si bouleversée que j'ai laissé mon conjoint le lendemain du jour de l'An!

– Es-tu sérieuse? demanda Philippe, estomaqué.

– Oui, très sérieuse, même! Tu vois, lorsque mon cœur s'émeut pour un autre, je ne joue pas avec ça. Allez! Tout le monde dehors!

– Ouais ! Je vais dire comme toi...

Philippe continua son interrogatoire, tout en la gardant serrée contre lui.

– Le 5 janvier, au bureau du Ministère à Montréal, comment as-tu fait pour ne rien laisser paraître ?

– Philippe... J'ai dû me concentrer et me raisonner pour ne pas montrer mes sentiments. Le dossier de Sainte-Famille ? C'est de la petite bière à côté de ça.

Marie-France se dégagea puis s'avança vers la balustrade qui longeait la terrasse Dufferin au bord de la falaise. Le dernier traversier quittait le port pour se rendre à Lévis, lorsque Philippe posa son bras sur ses épaules puis la serra tout naturellement contre lui.

– Je suis la sous-ministre qui gère actuellement le dossier le plus litigieux du Québec, et qu'est-ce que je fais au lieu de me concentrer sur mon travail ? Je tombe amoureuse du docteur. Pas n'importe lequel ! Celui qui défend le projet ! Beau conflit d'intérêts, non ?

– Marie-France ! C'est pareil pour moi. Désires-tu cesser maintenant cette relation qui vient à peine de débuter ?

– J'en suis incapable, répondit-elle sans hésitation. Je n'ai même pas la force de me battre contre cette attirance qui me pousse vers toi. J'ai l'impression que tout nous prédestinait à nous rencontrer.

Elle fixait ses yeux bleus et comprit que Philippe avait tout ce qu'elle appréciait chez un homme : il était séduisant, gentleman et déterminé.

– Je t'écoutais parler en début de soirée. Tu ne trouves pas curieux le fait que mon oncle ait été présent dans nos vies, de façon différente certes, mais présent tout de même. Il demeure que c'est lui qui nous a mis, l'un et l'autre, sur la même route.

– Effectivement, c'est curieux, répondit Philippe tout en observant les sapins illuminés qui s'élevaient devant eux.

– C'est presque incroyable que je ne t'aie jamais croisé auparavant ?

Philippe consulta sa montre.

– Il commence à se faire tard.

– Quelle heure est-il ?

– Minuit quarante-cinq.

– Minuit quarante-cinq ? s'exclama-t-elle en songeant qu'elle aurait dû être au lit depuis au moins deux heures.

– Si nous voulons être en forme demain matin, il va falloir penser à faire autre chose que de rester ici.

– Je demeure tout près, Philippe. Viens-tu me reconduire ?

– Bien sûr !

Avant de quitter cet endroit dont ils conserveraient un souvenir inoubliable, il l'étreignit à nouveau afin de goûter ses lèvres qu'il avait tant désirées au cours des derniers jours. Ils quittèrent la terrasse Dufferin en contournant le parc des Gouverneurs et marchèrent jusqu'à la rue Sainte-Anne pour rejoindre enfin la rue Dauphine.

Devant son immeuble, Marie-France ne put résister à l'envie de l'inviter dans son appartement. Philippe, refoulant son désir, réussit à garder son sang-froid. Sans détour, il lui répondit ce qu'il pensait sage dans les circonstances.

– Marie-France, j'en ai le goût autant que toi. Mais je ne crois pas que ce soit une bonne idée. Demain, nous avons du boulot et je veux être frais et dispos.

– Tu as raison ! soupira-t-elle, tout en repoussant sa chevelure vers l'arrière. C'est mieux ainsi.

Ils se turent un instant.

– On se revoit demain matin, alors ? dit-elle, souhaitant qu'il revienne sur sa décision.

– Je te remercie de comprendre, Marie-France. Toujours à l'édifice Catherine-de-Longpré ?

– Exactement. En arrivant, présente-toi au bureau de la sécurité. L'agent t'indiquera le chemin.

– Bonne nuit, dit-il en s'avançant vers elle.

Il l'embrassa passionnément et, quelques minutes plus tard, il se dégagea d'elle, ayant peur de changer d'idée.

– À demain. Tâche de dormir.

– Je vais essayer, répondit-il en s'éloignant.

* * *

Philippe entra dans la chambre et alla prendre une douche. Une fois séché, il se glissa sous la couette et laissa allumée la lumière de la lampe de chevet, réfléchissant aux dernières heures. Il se passa les mains dans les cheveux.

– Qu'est-ce qui m'arrive ? J'ai l'impression de ne plus avoir le contrôle de ma vie...

Il allongea le bras pour programmer le réveil et éteignit la lumière. Il réussit à gagner le sommeil deux heures plus tard, pensant tantôt à Marie-France, tantôt à Sainte-Famille, tantôt aux enfants. Mais pas à Claire. Lui qui avait tant souffert dans son enfance de ne pas avoir vécu une vraie vie de famille, pourquoi s'apprêtait-il à faire subir la même chose à ses enfants ?

Marie-France, quant à elle, s'était démaquillée et couchée immédiatement, bien qu'étant incapable de dormir. Comment devait-elle aborder cette situation pour le moins conflictuelle ?

Finalement, elle réussit à s'assoupir vers quatre heures.

CHAPITRE XIII

Réunion à l'édifice Catherine-de-Longpré

Après qu'il eut terminé son petit déjeuner, Philippe quitta *Le Capitole* en direction de l'édifice Catherine-de-Longpré. En entrant dans l'immeuble, il s'adressa au bureau de la sécurité, comme le lui avait suggéré Marie-France. Il se nomma et expliqua la raison de sa visite.

L'agent de sécurité invita Philippe à prendre les ascenseurs situés à sa gauche; le bureau de la sous-ministre aux immobilisations se trouvait au quinzième étage. Philippe le remercia tout en se dirigeant vers l'un d'eux.

Au moment où il s'apprêtait à appuyer sur le bouton de commande, les portes de l'ascenseur s'ouvrirent; la ministre de la Santé, précédée de son attaché de presse et de son garde du corps, en sortirent. Philippe la salua poliment, ce qu'elle fit à son tour, bien qu'elle ne le connaisse pas.

Arrivé au quinzième étage, il se présenta au bureau de Marie-France.

– Bonjour, je suis le docteur Philippe St-Laurent. J'ai rendez-vous ce matin avec Madame Tousignant.

– Bonjour, docteur St-Laurent. Il me fait plaisir de vous rencontrer, lança chaleureusement l'adjointe administrative. Madame la sous-ministre n'est pas encore arrivée, mais ça ne saurait tarder, je l'attends d'une minute à l'autre. Puis-je prendre votre manteau ?

Au même moment, Marie-France apparut dans l'embrasure de la porte et salua son adjointe. Puis, regardant Philippe :

– Bonjour, docteur St-Laurent. Vous allez bien ?

– Très bien, et vous ?

– Excellent. Il fait beau, pas trop froid. Vous avez fait un bon voyage ?

– Oui, je suis arrivé hier soir. Je voulais éviter la tempête de neige.

– Très bonne idée. Avec les hivers que nous connaissons au Québec, il n'y a pas de risques à prendre. Aimeriez-vous un café, un jus ?

– C'est encore le temps du café, répondit-il.

Marie-France se tourna vers son adjointe.

– Pourriez-vous nous apporter du café, Louise ? dit-elle en invitant Philippe à entrer dans la pièce attenante.

Marie-France ferma la porte pendant que Philippe prenait place dans le fauteuil situé devant la table de travail. À son tour, elle alla s'asseoir et le questionna sans plus attendre.

– Quel genre de nuit as-tu passé? demanda-t-elle, espiègle.

– Mouvementée, si tu veux le savoir !

– T'as pas dormi ?

– Écoute, si j'ai réussi à dormir trois heures, c'est bon ! Donc...

– Pas trop disposé à travailler ?

– À peu près ça ! Mais sois sans crainte. Après avoir bu un autre café, je vais me sentir d'attaque. Je suis habitué à ce genre de régime... mais, en général, c'est pour d'autres raisons. Et toi ?

– La même chose. Je crois m'être assoupie vers quatre heures. J'étais incapable de me détendre. Je n'arrêtais pas de penser à ce qui nous arrivait. Quelle affaire!

On frappa à la porte. L'adjointe entra et servit le café avant de quitter la pièce.

– Tu peux le dire, quelle affaire!

Marie-France s'avança vers le bureau et le regarda droit dans les yeux, sérieuse.

– Comme tu le mentionnais un peu plus tôt ce matin, nous avons beaucoup de boulot et je veux qu'une chose soit claire entre nous. Nous ne pouvons nier ce que nous avons vécu hier soir. Pas vrai? Par contre, je me dois de traiter ce dossier comme si rien ne s'était passé. Tu comprends?

– Je suis tout à fait d'accord avec toi! dit-il en se levant.

Il se pencha par-dessus sa table de travail et l'embrassa. Elle ferma les yeux pour goûter à nouveau cet instant rempli de tendresse, puis les réouvrit lorsqu'elle réalisa, l'espace d'une seconde, leur irresponsabilité.

D'un ton monocorde mais ferme, elle ne put s'empêcher d'objecter.

– Philippe, je t'ordonne de ne plus jamais m'embrasser dans mon bureau et nulle part, d'ailleurs, tant et aussi longtemps que ce dossier ne sera pas finalisé. Puis-je compter sur ta collaboration?

– Bien sûr, Marie-France. Je voulais juste voir si tu avais du caractère... Rassure-toi, tu as mon entière collaboration. Notre conduite d'hier soir était, à mon avis, inévitable à plus ou moins long terme. Mais puisque nous sommes majeurs et vaccinés et que nos gestes ont été posés consciemment... À ce que je sache, nous n'avions pas trop bu, hier soir?

– C'est vrai.

– Nous sommes assez professionnels pour faire la part des choses. J'ai un travail à accomplir, et toi aussi. Hein?

– Tu me rassures, c'est ce que je voulais entendre.
– Allez viens. Au travail! s'exclama-t-il.

* * *

Marie-France mentionna à Philippe qu'elle avait lu minutieusement le dossier déposé lors de la rencontre du 5 janvier. Elle le questionna sur différents aspects de la proposition de ne pas inclure Sainte-Famille dans le CSUGM, désirant être certaine qu'aucun détail ne lui échappait.

Une fois ces questions éclaircies, elle vit avec quelle aisance Philippe se débrouillait dans cet épais dossier. Son approche se distinguait de celle des gestionnaires du CSUGM et de la Régie régionale de Montréal-Centre. Il proposait une solution en créant une nouvelle structure à trois niveaux qui offrirait aux patients une prise en charge globale des soins de santé. Son projet ferait économiser des sommes substantielles en évitant la construction d'un nouvel hôpital.

Certaines questions, par contre, demeuraient toujours sans réponse.

– Philippe, j'ai su à travers les branches qu'il manque de l'espace pour les chercheurs du centre de recherche de Sainte-Famille? Est-ce vrai?

– Effectivement. Mais, comme je te l'ai suggéré au début janvier, si nous fusionnons nos activités de recherche avec celles de l'Institut Legardeur, je t'assure que ce problème va être réglé. Actuellement, l'Institut dispose de deux étages vacants puisque six chercheurs ont traversé la rue depuis les trois dernières années... Et, de toute façon, si des locaux supplémentaires devenaient nécessaires, il serait toujours possible d'ériger un ou deux étages sur l'édifice; les règlements d'urbanisme de la Ville le permettent. J'ai vérifié la semaine dernière.

– Parfait. Maintenant, parlons de la fusion avec les trois CLSC et les deux CHSLD. J'essaie de voir les avantages réels de fusionner ces deux types d'établissements avec Sainte-Famille. Est-ce que tous les problèmes seront résolus comme tu le prétends dans ton rapport?

– Marie-France, je veux être bien clair. Des problèmes, il y en aura toujours. Sauf qu'avec ce genre de structure, il sera beaucoup plus facile pour la direction de gérer l'organisation des soins, tant du point de vue médical qu'infirmier.

– C'est bien beau tout ça, mais si les CHSLD sont déjà remplis à pleine capacité, où vas-tu mettre les personnes âgées?

– Il y a présentement un projet pilote, au CLSC Notre-Dame-des-Neiges, qui vise à évaluer la possibilité d'instaurer un service d'intégration à la personne âgée en perte d'autonomie.

C'est une équipe multidisciplinaire, composée entre autres d'infirmières, de médecins, d'ergothérapeutes et de diététistes, qui prend en charge le suivi des patients admissibles au programme. Ces personnes âgées peuvent même, en cas de besoin, joindre une infirmière vingt-quatre heures sur vingt-quatre.

Je t'avoue que les résultats de ce projet pilote sont prometteurs. Comprends-tu que les patients préfèrent demeurer dans leur maison plutôt que de vivre à l'hôpital? Si nous élaborons un tel programme à Sainte-Famille, nous pourrions diminuer considérablement le nombre de patients dans les deux CHSLD, ce qui nous permettrait, par ricochet, de libérer nos lits de courte durée actuellement paralysés par cette clientèle.

Marie-France prenait des notes.

– À propos des CLSC. Tu disais vouloir munir deux d'entre eux d'équipements médicaux spécialisés pour fournir des services de première ligne.

– Effectivement, je crois qu'il est temps de leur laisser jouer un des rôles qu'on attend d'eux depuis longtemps. Ça fait des années que le Ministère n'arrête pas de rappeler que les CLSC doivent être la porte d'entrée du réseau. Comment veux-tu qu'ils réalisent ce mandat si on ne leur en donne pas les moyens?

Si nous équipons deux des trois CLSC afin d'offrir des soins d'urgence de première ligne, inquiète-toi pas, l'urgence de Sainte-Famille servira seulement pour les gros cas.

En passant, si tu veux mon avis, c'est exactement de cette façon qu'il faudra repenser le réseau à plus ou moins long terme!

– Pourquoi dis-tu ça?

– Ce que je vais te dire n'a aucun rapport avec Sainte-Famille, mais il va falloir que le Ministère se réveille une fois pour toutes. Je vais te mettre au défi de demander à un retraité, qui a quitté le réseau il y a dix, voire même quinze ans, de revenir dans le milieu. Je te garantis qu'après une journée, il va dire : « Il n'y a absolument rien de changé ici!»

– Tu charries pas un peu?

– Je ne charrie pas du tout, Marie-France. Va faire un tour dans les entreprises privées de moyenne à grande envergure. Elles sont à des années-lumière du réseau de la santé, tant du point de vue organisationnel que technologique. C'est anormal d'être si en retard par rapport à l'industrie. Nous sommes là pour donner des soins de qualité avec des équipements de pointe, pas pour faire de la médecine de brousse!

Marie-France était sur le point de perdre patience.

– Philippe, je n'ai pas l'intention de m'avancer sur ce terrain-là. J'en ai assez avec ce dossier-ci, ne m'en demande pas plus. Je crois, dans le contexte actuel, qu'il est extrêmement important de doter le CSUGM ou le nouvel hôpital Sainte-Famille d'équipements technologiques de pointe. Mais ne viens pas me parler du réseau dans son ensemble, j'en ai déjà plein les bras comme ça !

– Tu viens de mentionner quelque chose d'important : « Doter le CSUGM ou Sainte-Famille d'équipements technologiques de pointe. » Il est essentiel d'évaluer ce qu'il en coûterait pour nous procurer ce qu'il y a de plus *in*. C'est la génération *Nintendo* qui soigne maintenant !

– C'est évident, Philippe.

Même si les répliques de Philippe la dérangeaient, Marie-France se rangeait de plus en plus à ses arguments. Cependant, un problème de taille se posait. Comment présenterait-elle les résultats de son analyse à la ministre ?

* * *

Philippe la regarda droit dans les yeux, heureux de constater qu'ils n'avaient pas une seule fois dérogé à leur entente fixée au début de la rencontre. Elle désirait tout connaître sur cette solution et lui ne souhaitait que la convaincre... coûte que coûte. Il poursuivit.

– Si le gouvernement entérine la solution que je propose, tous y gagneront. En premier lieu, je suis persuadé qu'ils auront plus de chances de gagner leurs prochaines élections, sans parler de la réaction des patients, des employés, des médecins et de tous les opposants mis ensemble.

Le dernier point dont je veux t'entretenir, et non le moindre, c'est le sujet des mesures d'urgence. Et s'il y en a une qui devrait comprendre ça, c'est bien toi ! Si une catastrophe arrivait au centre-ville, as-tu pensé comme nous serions dans la misère noire si les trois centres hospitaliers étaient fermés. C'est bien beau d'avoir un grand centre hospitalier ultra-moderne, mais ça ne réglerait pas notre problème en cas de désastre.

Actuellement, nous sommes tous à quatre kilomètres l'un de l'autre. Si un problème majeur survenait, nous ne serions pas pris au dépourvu.

Et, il est temps que le Ministère cesse de vouloir mettre tous les œufs dans le même panier, surtout avec les immeubles déjà en place. Il pourrait procéder à la réfection des lieux et tout le monde serait content.

Marie-France l'interrompit avant qu'il ne s'avance trop loin.

– Philippe, rien ne dit que, si nous choisissons d'isoler Sainte-Famille du CSUGM, nous maintiendrons les deux centres hospitaliers du centre-ville à leur site actuel. Qu'est-ce qui nous empêcherait de les réunir dans une nouvelle bâtisse?

– Ah oui? dit-il surpris.

– Pourquoi pas, répliqua-t-elle. De toute façon, ce dossier t'importe peu.

Il n'en était pas si certain.

* * *

La réunion se termina à midi. Marie-France lui mentionna qu'elle présenterait ses recommandations à la ministre deux semaines plus tard.

Elle ferma ses dossiers puis considéra Philippe.

– Dînes-tu avec moi avant de partir pour Montréal?

– Ça dépend de ce que tu as le goût de manger?

Elle se demanda à quoi il faisait allusion. Blaguait-il?

– Du libanais! finit-elle par répondre.

– Du libanais? Y a-t-il des restaurants libanais à Québec?

– Franchement, il faut avoir du culot pour poser une telle question!

* * *

Dans la Grande-Allée, ils choisirent un de ces restaurants libanais dont la réputation n'était plus à faire. À quatorze heures trente, Philippe quitta Marie-France pour retourner à Montréal. Ils convinrent qu'il serait plus sage de n'entretenir aucune relation jusqu'à la conclusion de ce dossier. Si elle ne voulait pas qu'on lui reproche d'avoir été en conflit d'intérêts, elle devait contenir ses ardeurs ; ils avaient tout à gagner et beaucoup à perdre. Ils se quittèrent sans s'embrasser.

Philippe traversa le pont Pierre-Laporte vers quinze heures. Il se demandait s'il devait appeler Claire, lorsque le cellulaire sonna.

– Philippe St-Laurent !

– Philippe, c'est moi.

– Oui, Claire.

– Où es-tu ?

– Je quitte Québec à l'instant.

– Tu prévois d'être à la maison vers quelle heure ?

– Aux alentours de dix-sept heures trente. Pourquoi ?

– Pour rien, je voulais juste savoir.

– As-tu le goût d'aller au restaurant ? demanda-t-il machinalement.

– Pas vraiment. Je n'ai pas apprécié la façon dont tu m'as parlé hier soir. Ça demande des explications.

– Bon, c'est reparti ! Claire, soupira-t-il. Toi et tes remontrances, je commence à en avoir mon voyage.

– Mes remontrances ? cria-t-elle.

– Bon, ça va faire ! Nous utilisons le cellulaire, je n'ai pas le goût de payer des interurbains pour des scènes qui n'en valent pas la peine ! On se reparlera plus tard. Bye !

Philippe ferma son téléphone. Elle, de son côté, resta bouche bée.

– Il va me le payer ! lança-t-elle.

Assise dans son bureau, elle se mit à pleurer.

– Pourquoi j'endure ça ? Où ai-je manqué? dit-elle en regardant le mur où un grand morceau de placoplâtre était en train de se décoller. Il me semble que j'ai tout fait pour le rendre heureux. Ah, c'est de ma faute, aussi. Je m'implique peut-être trop dans mes projets, je suis fatiguée, moins patiente...

Claire n'analysait plus sa relation de couple avec objectivité. Cette femme, qui jadis aurait pu surmonter les plus grandes épreuves, était plongée dans une forme d'insécurité dont elle ne parvenait pas à se départir. Il n'y avait plus de doute, elle était l'unique cause de la déchéance de leur mariage. Pourquoi se dépréciait-elle ? Pourquoi prenait-elle tout le blâme ?

Le téléphone sonna et l'arracha à ses questionnements.

– Claire de Bellefeuille ! répondit-elle, un mouchoir à la main.

– Claire, j'ai Madame Lacombe, du CHUL, en ligne.

– C'est bien. Je vais prendre l'appel.

Elle se ressaisit afin de poursuivre.

– Bonjour, Anne-Marie, comment vas-tu ?

– Moi, très bien, mais un peu fatiguée avec tout ce qui se passe ici. La fusion nous donne énormément de boulot.

– C'est vrai, vous vivez la même chose que nous, répondit Claire.

– Comment ça va de votre côté? demanda Anne-Marie. La seule nouvelle que nous en avons à Québec, c'est qu'il y a du grabuge parmi vos médecins.

– En effet, ma chère ! Je vais te dire bien franchement que ce n'est agréable pour personne de travailler dans une telle ambiance. Quand ce n'est pas les médecins qui s'entre-déchirent, ce sont les gestionnaires de service qui tentent de tirer la couverture de leur bord. Et les employés, dans tout ça, sont complètement démotivés. Je ne mens pas, je ne sais pas du tout vers où on s'en va.

– Je n'ai pas de difficulté à te croire, ce fut un peu la même chose ici. Puis Philippe? Comment réussit-il à composer avec tout ça?

– Disons qu'il en a plein les bras en ce moment. En plus de sa charge médicale et de l'enseignement clinique, il s'occupe du dossier du CSUGM presque à temps complet. Donc beaucoup de pourparlers avec nos charmants fonctionnaires de Québec.

– Alors, c'était vous deux que j'ai vus hier soir dans le Vieux-Québec?

Claire n'était pas certaine d'avoir bien entendu.

– Pourquoi me demandes-tu ça?

– Bien, j'ai eu l'impression de vous apercevoir. Étiez-vous là, en soirée? fit-elle, inquiète.

Claire se surprit à mentir, mais un pressentiment lui commandait de le faire.

– Oui, effectivement. Je viens tout juste d'arriver. Philippe avait une réunion hier en fin de journée. J'en ai profité pour l'accompagner. Où nous as-tu entre-vus?

– Sur la terrasse Dufferin, près du *Château Fron-tenac*. Je n'ai pas osé vous déranger, vous aviez l'air si bien, l'un contre l'autre. C'est beau après... treize ans de mariage?

– Non. Douze, réussit-elle à répondre.

Claire fut saisie. Qu'est-ce qu'elle lui racontait? Anne-Marie ne pouvait se tromper de personne quant à l'homme; elle connaissait trop bien Philippe. Au cours des quinzes dernières années, ils s'étaient rencontrés à maintes reprises dans le cadre de leurs activités profes-sionnelles.

Claire décida d'entrer dans le jeu. Peut-être qu'Anne-Marie lui révélerait ce qu'elle pressentait depuis quelques semaines.

– J'espère qu'on ne nous remarquait pas trop?

– Juste un peu! dit-elle en pouffant de rire. Vous vous embrassiez, ma chère! J'ai failli aller vous surprendre. Je me suis retenue, ne voulant pas vous interrompre dans un moment aussi merveilleux, ajouta-t-elle, un rien moqueuse.

– Nous exagérions? poursuivit Claire afin qu'Anne-Marie donne plus de détails.

– Ben non! Mais, sur le coup, je n'étais pas certaine si c'était toi car le revers de ton collet de fourrure cachait tes cheveux, mais lorsque j'ai reconnu Philippe, il n'y avait plus de doute.

Anne-Marie continua.

– Est-ce un vison que tu portais?

– Oui! dit Claire, contenant sa rage intérieure.

– Anne-Marie?

– Oui.

– Quelle heure était-il quand tu nous a vus?

– À peu près minuit.

– Eh bien, j'apprécie ta discrétion. Tu es une vraie archiviste!

– Je te trouve chanceuse, Claire. C'est tellement rare de voir des couples qui s'aiment comme vous après tant d'années de mariage. Vous deux, vous vous moquez joyeusement des statistiques!

«Pauvre Anne-Marie, si elle savait...» pensa Claire. Elle qui croyait qu'ils formaient le couple idéal.

Plus de doute, à son esprit, que Philippe la trompait. Mais avec qui? «Pas la sous-ministre, j'espère!» repensant à la soirée du 24 décembre.

Claire comprit que sa relation avec Philippe avait sérieusement dégénéré depuis cette fameuse soirée chez les Champagne. Comment une union de douze ans pouvait-elle se détériorer en si peu de temps, au point de s'anéantir.

CHAPITRE XIV

Le premier ministre veut savoir

Philippe arriva à la maison vers dix-sept heures trente, comme prévu. Épuisé, il déposa ses clés sur la table près de la porte d'entrée, puis enleva son manteau. Claire alla à sa rencontre et l'embrassa sur la joue en ne faisant aucune allusion à leur brève altercation survenue un peu plus tôt.

Elle semblait sereine. Ce n'était cependant qu'une apparence. Elle ferait sa petite enquête et, une fois celle-ci complétée, elle foncerait droit devant, au moment où il ne la verrait pas venir.

— As-tu décidé où tu voulais souper ce soir? demanda-t-il même s'il n'avait qu'un désir en tête : aller se coucher.

— Tu n'es pas trop fatigué? dit-elle avec compassion.

— Oui, mais, de toute façon, il faut que je mange.

Après avoir salué les enfants et la gouvernante, ils quittèrent la maison à dix-huit heures. Quelques minutes plus tard, ils entrèrent dans le restaurant.

Philippe consulta immédiatement le menu inscrit sur l'ardoise fixée au mur.

— Mon choix est déjà fait, dit-il en promenant son regard de table en table.

– Que prends-tu ?

– Je vais prendre un filet mignon de huit onces ! Avec... des moules marinières comme entrée.

– As-tu dîné, aujourd'hui ? s'exclama-t-elle, étonnée qu'il veuille manger autant.

Philippe fit semblant de ne pas comprendre.

– Philippe ? Je te parle !

– Excuse-moi ! Je suis dans la lune. Qu'est-ce que tu m'as demandé ?

– Est-ce-que-tu-as-dîné-aujourd'hui ?

– Oui. J'ai mangé des mets libanais.

– Avec qui ?

Philippe détestait qu'elle lui serve un interrogatoire en règle, mais il se sentait obligé de répondre car, la connaissant, elle pourrait s'offrir publiquement en spectacle. Claire se choquait rarement mais lorsque c'était le cas...

– L'interrogatoire en règle commence ? demanda-t-il en scrutant la liste des vins rouges.

Elle n'ajouta rien.

– J'étais avec Madame la sous-ministre ! finit-il par répondre.

– C'était bon ?

– C'était excellent. As-tu une autre question ?

La serveuse s'approcha vers la table et prit leurs commandes.

– Vous désirez du vin ?

Une fois le vin commandé, la serveuse les remercia et s'éloigna de la table. Claire regarda Philippe.

– La réunion s'est bien déroulée avec... comment s'appelle-t-elle déjà ?

– Marie-France Tousignant.

– Ah oui ! Marie-France. J'avais complètement oublié son nom. Une vraie poupée, cette femme-là. Genre bien mise, beau discours mais rien de profond.

– Je te trouve un peu sévère, Claire. Tu ne la connais même pas.

– Une chance que je n'ai pas continué à dire ce que je pensais d'elle! fit-elle en haussant les sourcils.

– Que veux-tu insinuer? Vas-y, maintenant que tu as commencé.

– Cette femme-là, c'est le genre à voler les maris des autres. C'est inscrit dans le ciel.

– Bon, tu recommences! répondit-il, étonné de sa remarque.

Il n'approuvait pas ce que Claire avançait à propos de Marie-France. Il demeurait néanmoins surpris qu'elle ait ressenti sa vulnérabilité.

– Peut-on changer de sujet?

– Je n'ai pas d'objection. Comment s'est déroulée ta réunion?

– Bien, nous avons revu la proposition que je lui avais soumise le 5 janvier dernier. Elle a été assez pointue dans ses questions et je constate que la partie est loin d'être gagnée. Même si je perçois, de son côté, une certaine ouverture à la solution proposée, elle semble avoir une épée de Damoclès au-dessus de la tête. Je ne suis pas sûr qu'elle ait carte blanche comme elle le prétend. Que veux-tu! La Madame qui gère le Ministère en ce moment a pas mal plus de pouvoir que l'on croit. C'est elle qui tire les ficelles, pas les fonctionnaires.

– On ne peut pas la blâmer, rétorqua Claire. Pendant des années, il n'y a pas eu un seul fonctionnaire capable de gérer ce dossier-là comme du monde. Il ne faut pas se surprendre qu'elle agisse ainsi; nous en ferions tout autant.

– Parle pour toi. En ce qui me concerne, ça fait longtemps que la décision d'isoler Sainte-Famille aurait été prise. Pas besoin d'une maîtrise ou d'un doctorat en administration pour comprendre ce qui se passe. Les bureaucrates du Ministère devraient être juste un peu plus pragmatiques que théoriques...

Regardant un jeune couple qui se tenait la main, à quelques tables de la leur, Philippe ajouta :

– Pour en revenir à Marie-France, elle m'a posé plusieurs questions sur le fonctionnement des CLSC et des CHSLD, advenant une fusion avec Sainte-Famille.

– C'est bon ! Ça te prouve qu'elle s'est attardée à la solution que tu lui as présentée, pas juste à tes beaux yeux.

– Où veux-tu en venir, Claire, avec tes allusions ? demanda-t-il d'un ton accusateur.

– T'es pas obligé de te choquer ! Je t'ai dit ce que je pensais d'elle, tantôt. Elle ne m'impressionne pas, cette fille-là. Je la trouve tellement superficielle. Allez. Continue !

Philippe commençait à se poser des questions. Pourquoi cette soudaine aversion envers Marie-France ?

– Claire, je t'en prie. Arrête de passer tes commentaires à l'endroit de cette femme. Si elle t'entendait, je serais dans de beaux draps !

« Qu'est-ce qui me dit, justement, que tu n'as pas passé la nuit dans ses draps, Philippe St-Laurent ? » songea-t-elle.

– Bon, vas-y ! Tu me disais qu'elle t'a posé beaucoup de questions sur le fonctionnement des CLSC et des CHSLD...

Il l'interrompit pour reprendre où il en était rendu.

– Je vais te dire franchement, j'ai l'impression que le gouvernement veut gagner du temps d'ici les prochaines élections. Pour eux, Sainte-Famille, c'est une patate chaude ! J'ai hâte de voir où nous en serons dans trois ans.

Philippe se passa les mains dans les cheveux.

– Si le cas de Sainte-Famille ne se règle pas dans les mois qui viennent, je sais exactement ce que je vais faire !

– Ah oui ? Quoi ?

– Je m'en vais aux États-Unis.

Claire haussa les sourcils.

– Si tu n'as pas d'objection, j'apprécierais que tu m'informes la journée où tu partiras parce que je ne suis pas sûre d'avoir le goût d'aller vivre aux États-Unis.

– Claire, soupira Philippe. Je n'ai pas dit que nous partions demain matin !

Il se tut ; la serveuse arrivait avec les entrées.

* * *

Claire continua son interrogatoire.

– Qu'as-tu fait hier soir ?

– Je suis allé manger chez *Serge Bruyère* avec Richard Trudel du CHUL.

– C'était bon ?

– Comme toujours, tu le sais bien.

– Après ?

– Après quoi ? demanda-t-il.

– Qu'est-ce que tu as fait ?

– Rien de spécial ...

Il se ravisa.

– Je suis allé marcher jusqu'au *Château Frontenac*. Je me suis attardé un peu sur la terrasse Dufferin pour regarder le dernier traversier se diriger vers Lévis. Ensuite, je suis revenu à l'hôtel.

L'histoire se tenait sauf qu'il n'y avait pas de femme dans le décor... L'endroit, l'heure, tout correspondait à ce qu'Anne-Marie lui avait raconté. C'était donc vrai, Philippe la trompait. Mais avec qui ? Il ne restait que cette information à trouver, bien qu'elle eût sa petite idée. « Je vais finir par le savoir, fie-toi à moi, mon beau Philippe ! Je vais finir par le savoir. »

Ils terminèrent leur repas en parlant de choses et d'autres.

Quel tournant leur vie prendrait ? pensa-t-elle en l'observant.

* * *

La fin de semaine fut consacrée aux enfants. Le samedi matin, ils quittèrent Saint-Lambert très tôt pour aller glisser à la Montagne-Coupée, près de Saint-Jean-de-Matha.

Marie-France, quant à elle, passa toute la fin de semaine à préparer sa rencontre avec la ministre, prévue pour le mardi suivant.

Comme convenu, Marie-France devait lui présenter un rapport d'étape pour faire suite aux rencontres tenues avec les intervenants reliés de près ou de loin au dossier du CSUGM, avant de procéder à la rédaction des recommandations finales.

Elles s'étaient donné rendez-vous à sept heures trente au café-bar du *Capitole*. Bien que leurs bureaux respectifs soient situés au même étage, elles s'étaient à peine entrevues depuis le retour des fêtes. La ministre gérait des dossiers plus que délicats en ce début d'année ; la grippe qui faisait rage dans une bonne partie de la province mettait les urgences sur la corde raide. Celles-ci étaient débordées par un flot soudain de victimes d'influenza. Des critiques acerbes à l'endroit de la piètre gestion des hôpitaux fusaient de toutes parts.

Elles commandèrent leur petit déjeuner et la ministre l'interrogea sans plus tarder sur le dossier qu'elle souhaitait voir résolu avant le début du printemps. Marie-France lui résuma l'essentiel des suggestions et des commentaires reçus des différents intervenants rencontrés au cours des trois dernières semaines. Elle lui mentionna qu'elle avait consacré près de deux cent cinquante heures à lire tous les dossiers, les rapports et les études qui avaient été commandés et écrits tant sur le projet de déménagement de Sainte-Famille à l'île Notre-Dame que sur le projet de création du CSUGM. Son but était très simple : elle voulait proposer la meilleure recommandation quant à l'adoption d'une de ces deux solutions : maintenir ou non Sainte-Famille dans le CSUGM.

La ministre l'écoutait sans dire un mot. Elle trouvait que Marie-France savait bien résumer une situation complexe et avait réussi en très peu de temps à cerner la situation qui prévalait dans cet établissement de santé.

– Est-il trop tôt pour que tu me donnes ton opinion sur ce dossier ?

– Disons qu'il me reste des coûts à obtenir de la part de la CHQ en ce qui concerne la rénovation de certains bâtiments mais, en somme, j'ai une bonne idée pour résoudre ce problème-là une fois pour toutes.

– Excellent ! Qu'est-ce que tu suggères ? Un CSUGM à un seul emplacement, ou on force tout ce beau monde à s'entendre, en les laissant chacun dans leur centre hospitalier respectif ?

– Je ne suis pas certaine de vous suivre, Madame Boisvert.

– Quelle solution préconisez-vous ?

– Comme je vous l'ai mentionné il y a quelques minutes, j'attends certains coûts de la part de la CHQ, mais ma recommandation penchera du côté d'une suggestion qui me semble, après réflexion, tout à fait logique.

– Quelle est-elle ?

Marie-France lui expliqua qu'elle suggérait de garder Sainte-Famille hors du CSUGM pour créer un nouveau centre Sainte-Famille en fusionnant les activités administratives des trois CLSC avoisinants et des deux CHSLD, et de transférer toutes les activités de recherche à l'Institut Legardeur qui seraient dorénavant sous l'égide de Sainte-Famille.

Plusieurs unités de soins étaient libres depuis l'année où l'administration de l'hôpital avait dû sacrifier deux cents lits pour répondre aux compressions budgétaires imposées par le gouvernement. Ainsi, les travaux de rénovation de Sainte-Famille seraient moins ardus étant donné que l'administration disposerait de locaux pour relocaliser temporairement les services touchés.

Les travaux s'échelonneraient sur quatre ans et un nouveau concept hospitalier universitaire émergerait, où seraient rassemblés tous les types de soins, de la prévention de la maladie en passant par les soins médicaux et chirurgicaux, les soins à la personne âgée et jusqu'aux soins à domicile.

Marie-France discourut sur la solution pendant près de quarante minutes. En aucun moment, la ministre ne l'interrompit. Soudain, elle fit signe au serveur d'apporter un autre café. Machinalement, elle ramena quelques mèches de ses cheveux derrière ses oreilles, un geste si souvent répété lorsqu'elle s'apprêtait à dévoiler une stratégie.

Elle regarda Marie-France droit dans les yeux, attendant que le serveur s'éloigne de la table.

– Je ne te cacherai pas que je suis extrêmement déçue de ta conclusion. Je suis consciente du nombre d'heures que tu as consacré à ce dossier. Cependant, malgré le fait que je te donnais carte blanche, j'avais pourtant été très claire au départ. Vois-tu, Marie-France, tant et aussi longtemps que notre parti sera au pouvoir, jamais nous ne remettrons ce dossier en question. La création du CSUGM a été entérinée il y a quelques années et a causé, j'en conviens, beaucoup plus de mal que de bien. Mais la question que nous devons nous poser présentement est la suivante :

faut-il maintenir un CSUGM à trois emplacements ou localiser tout ce beau monde dans un seul centre hospitalier?

Madame Boisvert fit une pause tout en continuant à jouer avec son alliance, puis regarda à nouveau Marie-France.

– De toute façon, ma décision est arrêtée depuis la semaine dernière. J'ai décidé que le CSUGM sera à un seul et même endroit. Nous créerons un méga-centre hospitalier universitaire de près de treize cent cinquante lits et des activités de recherche compléteront sa mission. Ainsi, le CSUGM sera un symbole de succès et deviendra en très peu de temps aussi notoire que certaines institutions de la côte est américaine.

Marie-France était estomaquée par ce qu'elle venait d'entendre.

– Excusez-moi, Madame Boisvert, mais je ne comprends pas pour quelle raison vous m'avez engagée. Si tout était déjà décidé, pourquoi m'avoir transmis ce dossier, alors?

– Je désirais que ce dossier soit analysé par une tierce personne n'ayant aucun lien avec le milieu hospitalier, ni avec le milieu politique; une personne ayant un regard neuf sur ce problème qui perdure depuis bientôt cinq ans.

– Je n'en reviens tout simplement pas! rétorqua-t-elle à nouveau en posant son regard sur une tablette où étaient disposées des assiettes que certains artistes, de passage au *Capitole,* avaient autographiées. Je suis déçue. Et je ne vois pas de quelle façon je vais m'y prendre pour régler ce dossier. Il m'apparaît tellement évident que c'est la solution à retenir!

– Pourquoi, Marie-France? Qui t'a mis cette idée dans la tête?

– Personne ne m'a forcée à retenir cette solution. Par contre, je dois être franche, j'ai reçu un appel à la fin du mois de décembre de la part du président du CMDP du CSUGM, qui désirait me rencontrer. La rencontre a eu lieu le 5 janvier à mon bureau de Montréal, où il m'a présenté ce qu'il croyait être le mieux pour l'avenir de Sainte-Famille. Sa suggestion, comme je vous l'ai mentionné un peu plus tôt, est très simple. Nous retirons Sainte-Famille du CSUGM puis nous y ajoutons l'administration des trois CLSC et des deux CHSLD pour en faire un nouveau centre Sainte-Famille.

L'an prochain, Sainte-Famille fêtera ses deux cent soixante-quinze ans. Pourquoi détruire les racines d'une culture médicale ancrée depuis si longtemps, de génération en génération? Pourquoi ne pas renforcer cette institution en y ajoutant des éléments qui permettront aux intervenants de cet hôpital de continuer à prodiguer des soins tant appréciés par la population?

Ça ne fait pas des années que je suis au Ministère mais je suis convaincue d'une chose, nous commettons une erreur monumentale en persistant à imposer cette fusion. Avec ce que vous venez de me dire, je sais maintenant que je perds mon temps. Mais laissez-moi vous le répéter à nouveau. Quelle aberration que de s'entêter à fusionner trois structures qui n'ont aucune relation entre elles!

– Je regrette, Marie-France, la décision est prise. J'aurais souhaité être sur la même longueur d'onde que toi. En tant que ministre de la Santé et des Services sociaux, je me dois d'appuyer les choix de mon gouvernement et de maintenir, en quelque sorte, ceux qui ont été entérinés par mon prédécesseur. Donc, dès cet après-midi, je vais aviser le premier ministre de l'orientation finale que prendra ce dossier.

Marie-France fit une dernière tentative.

– Madame Boisvert! Je comprends que vous désiriez appuyer les choix de votre gouvernement et ceux de votre prédécesseur, mais... je me sens obligée de vous dire que je trouve tout à fait stupide votre idée de maintenir une décision aussi illogique, dont l'impact néfaste sera majeur sur l'ensemble des soins de santé à prodiguer à une partie si importante de la population de Montréal, et ça, juste pour ne pas vous faire perdre la face, ainsi qu'à votre gouvernement!

Vous n'êtes pas sans savoir que c'est la guerre entre les médecins de ces trois centres hospitaliers. Il y a une compétition féroce et malsaine qui dure depuis toujours. À part ça, arrêtons de mentionner que l'on fait économiser de l'argent aux contribuables en procédant à l'intégration de ces trois établissements, c'est totalement faux! Au lieu d'économiser, on paie une fortune en frais de déplacements, perte de temps, embauche d'adjoints parce que, de toute façon, les gestionnaires ne sont pas en mesure de gérer efficacement trois sites. Alors, toutes ces belles paroles varlopées de gauche à droite annonçant que l'on va favoriser le bien-être des patients et rendre efficace l'appareil administratif, c'est carrément de la foutaise et vous le savez!

Marie-France n'avait pas mâché ses mots. Elle avait trop bien analysé ce dossier pour ne pas le défendre jusqu'au bout. Maintenant persuadée que c'était la décision à prendre, plus rien ne pouvait l'arrêter; le dossier de Philippe devenait le sien.

– As-tu terminé? demanda la ministre, insultée d'un tel affront.

– Oui. J'ai dit ce que j'avais à dire! répondit-elle d'un ton sec et en la fusillant du regard.

La rencontre se termina sur une note on ne peut plus catastrophique. Marie-France était furieuse de constater qu'elle n'avait aucun pouvoir et que tous les dés étaient pipés d'avance. Que devait-elle faire? La ministre venait de lui avouer qu'elle s'apprêtait à annoncer sa décision : la construction d'un complexe hospitalier universitaire en un seul lieu.

* * *

Marie-France était abasourdie. Était-ce vraiment de cette façon que l'on dépensait les deniers publics ? On l'avait engagée pour qu'elle fasse une analyse poussée de ce dossier litigieux, mais pourquoi ?

Elle quitta le *Capitole* et rentra chez elle récupérer ses effets personnels. À treize heures, elle rencontrait, à Montréal, les ingénieurs de la Corporation d'hébergement du Québec pour l'obtention des coûts de rénovation de Sainte-Famille, le cas échéant.

Alors que ce dossier était voué à l'échec, elle décida d'aller tout de même rencontrer les ingénieurs. Au moins, elle aurait la conscience tranquille, l'impression du devoir accompli même si on s'apprêtait à ne pas retenir sa solution.

La réunion se termina vers dix-sept heures. Au lieu de réserver une chambre au *Delta*, elle décida de se rendre à Longueuil. Elle raconta à son oncle les propos tenus par la ministre lors de son déjeuner à Québec. Monsieur Champagne ne parut pas surpris.

– C'est dommage de constater à quel point le système est pourri. Comment veux-tu que ça fonctionne si tout est décidé d'avance !

– Oui, mais la ministre Boisvert me semblait tellement intelligente. Je n'en reviens pas d'une telle prise de position.

Ils continuèrent à discuter de Sainte-Famille et du CSUGM pendant une heure, jusqu'à ce que Monsieur Champagne change de sujet. Il s'enquit de sa disponibilité pour le jeudi suivant pour qu'elle l'accompagne à la Place des Arts étant donné que sa marraine était clouée au lit par une vilaine grippe. Un concert aurait lieu dans le but d'amasser des fonds pour l'Orchestre symphonique de Montréal.

Marie-France accepta volontiers, étant à Montréal pour le reste de la semaine. Fier, son parrain, lui ordonna d'aller s'acheter une robe de soirée dans une des plus belles boutiques de la rue Sherbrooke, à Montréal.

– Mets tout sur mon compte. Je veux que tous m'envient d'avoir une si belle femme à mon bras !

* * *

La soirée se déroulait à merveille. Après le concert, de généreux donateurs furent admis à un cocktail privé où plusieurs personnalités de marque étaient présentes. Monsieur Champagne, homme d'affaires connu et respecté tant du milieu des affaires que du milieu politique, se trouvait en pays de connaissance.

Coupe de champagne à la main, l'oncle entraîna sa nièce saluer le premier vice-président d'une grande banque canadienne qui le connaissait bien. Soudain, deux gardes du corps s'approchèrent, écouteur bien fixé à l'intérieur de l'oreille droite, scrutant les moindres gestes de la foule. Ils entouraient l'homme politique le plus important du Québec.

Quand Monsieur Champagne vit le premier ministre, Monsieur Richard Tremblay, il s'approcha doucement de Marie-France et lui chuchota à l'oreille.

– Regarde qui est derrière toi.

Marie-France se retourna discrètement lorsqu'elle aperçut l'illustre personnage. Son cœur se mit à battre irrégulièrement. Bien qu'elle travaillât au Ministère depuis bientôt deux mois, elle n'avait pas eu l'occasion de le rencontrer.

Le premier ministre salua le vice-président de l'institution bancaire; celui-ci présenta son épouse, Monsieur Champagne et, une fois arrivé au tour de Marie-France, Monsieur Champagne prit la parole.

– Je vous présente la sous-ministre des immobilisations au ministère de la Santé et des Services sociaux, Madame Marie-France Tousignant.

Le premier ministre écarquilla les yeux.

– Enfin, je vais faire votre connaissance! Je vous assure que j'entends souvent parler de vous, ces jours-ci.

– Ah oui? répondit Marie-France, un peu mal à l'aise. J'espère que c'est positif?

– Bien, certainement. Madame Boisvert est très satisfaite de l'étude que vous lui avez présentée cette semaine.

Marie-France fronça les sourcils.

– Je ne suis pas certaine de comprendre ce que vous me dites.

– Bien, hier midi, elle m'a informé que vous reteniez la construction du CSUGM à un seul emplacement.

Marie-France, estomaquée d'un tel mensonge, n'en croyait pas ses oreilles. Rêvait-elle soudain? Comment la ministre pouvait-elle lui faire endosser ses idées et ses volontés?

– Excusez-moi, Monsieur le premier ministre, mais ce n'est pas ce que j'ai suggéré.

Le visage de Marie-France s'empourpra, réalisant ce qu'elle venait de dévoiler.

– Que me dites-vous? demanda-t-il, perplexe.

– J'ai trop parlé, excusez-moi!

Il voulut lui poser une seconde question, mais un garde du corps s'avança vers lui. Il l'informa que le temps était venu de se rendre à la mezzanine pour une séance de photographies avec le chef de l'Orchestre symphonique de Montréal, en compagnie d'autres dignitaires.

– Veuillez m'excuser, Madame. Il faudra s'en reparler...

Monsieur Champagne, n'ayant pu suivre la conversation, s'approcha de Marie-France.

– Et puis?

– J'ai fait une folle de moi! lança-t-elle, complètement déconcertée.

– Pourquoi dis-tu ça, ma chérie?

– Imagine-toi donc qu'il m'a félicitée pour mes recommandations au sujet du CSUGM. La ministre lui a fait croire que j'avais suggéré l'idée de construire un CSUGM à un seul emplacement.

– Es-tu sérieuse? demanda-t-il, un sourire en coin.

– Très sérieuse. Le pire, c'est que je lui ai dit que cette solution ne venait pas de moi.

– Oups! fit Monsieur Champagne en observant les invités qui discutaient. Je ne suis pas certain que la Madame va apprécier...

– Moi non plus! Je sens que mes journées sont comptées...

– En effet, c'est une situation on ne peut plus délicate. Mais tu as bien fait, ma petite fille. Si j'en juge mon expérience, il n'y a rien de mieux que de dire la vérité. De toute façon, le chat finit toujours par sortir du sac.

Marie-France, n'ayant plus le cœur à la fête, dit à son parrain qu'elle souhaitait s'en aller. En arrivant au vestiaire, elle vit une femme sortir des toilettes. C'était Claire St-Laurent.

* * *

Le lendemain matin, vers huit heures trente, le téléavertisseur de Marie-France sonna. L'afficheur indiquait un numéro de téléphone de Montréal. Marie-France le composa, se demandant qui désirait la rejoindre en cette heure matinale.

– Suzanne Lussier! entendit-elle au bout du fil.

– Oui, bonjour, je suis Marie-France Tousignant. Vous m'avez appelée?

– Oui, Madame Tousignant. Je suis l'attachée de presse de Monsieur Tremblay. Il aimerait déjeuner avec vous ce midi. Peut-il compter sur votre présence?

– Euh... oui. Où?

– *Chez Julien,* rue Union. Il vous attend à midi.

– Très bien, réussit-elle à dire. J'y serai.

Elle raccrocha puis alla s'asseoir dans une des bergères du salon. « Rrrr... Eh! que j'ai le don de me mettre les pieds dans les plats. Que m'a-t-il pris d'aller dire une chose pareille! » songea-t-elle.

Son parrain ayant déjà quitté la maison, elle le rejoignit à son bureau pour l'informer de l'appel.

– Comment dois-je agir? demanda-t-elle.

– Lui avouer toute la vérité, Marie-France. Tu n'as plus rien à perdre mais plutôt tout à gagner.

– Merci. C'est ce que je voulais entendre.

– Je t'embrasse, ma chérie. Et bonne chance.

Elle quitta Longueuil vers neuf heures pour l'édifice Fullum, avec l'intention d'y travailler une heure ou deux. À onze heures, n'ayant plus le cœur à l'ouvrage, elle décida d'aller voir de plus près l'hôpital. Pour ce faire, elle emprunta la rue Berri et fit le tour du quadrilatère.

Après avoir visualisé l'ensemble du complexe hospitalier, elle décida de se rendre au chalet du Mont-Royal, qui domine la ville. Grâce à ses jumelles, elle eut l'impression que l'hôpital était à ses pieds. La vue sur la montagne devait être magnifique pour les patients hospitalisés aux étages supérieurs des pavillons Cartier et Champlain. Cependant, le nombre des pavillons constituait sans doute la principale entrave à leur bon fonctionnement; le remède était la distribution des services proposée par Philippe.

Puis elle aperçut l'Institut Legardeur. Elle trouva logique de ramener toutes les activités de recherche dans cet établissement lequel, ne comptant que cinq étages, et un terrain adjacent étant vacant, pouvait être agrandi.

Ce que Philippe lui avait conseillé lui semblait réalisable, solution intelligente qui perpétuerait cette tradition dans laquelle Sainte-Famille excellait depuis tant d'années.

Marie-France retourna à sa voiture et prit la direction de *Chez Julien.*

* * *

Elle ne vit aucune limousine à la porte du restaurant. Après l'avoir saluée, le maître d'hôtel l'accompagna à sa table et lui demanda si elle désirait un apéritif. Marie-France commanda un *Perrier.*

Elle se sentait nerveuse. Que voulait-il savoir? Pourquoi ce désir de la rencontrer si rapidement? Tout à coup, une certaine agitation la retira de ses pensées. Le premier ministre, entouré de deux gardes du corps, venait vers elle.

Sérieux et concentrés, les gardes du corps jetèrent un rapide coup d'œil aux gens attablés dans la salle à manger. Monsieur Tremblay s'avança vers elle et lui serra la main. Avant de s'asseoir, il fit signe aux deux hommes chargés de veiller à sa sécurité de s'éloigner.

Ce politicien, qu'elle rencontrait pour la deuxième fois en moins de vingt-quatre heures, était assis devant elle. Il l'examina tout en joignant ses mains sur la table.

– Je vous remercie d'avoir accepté mon invitation, Madame Tousignant.

– C'est moi qui vous remercie, réussit-elle à répondre.

Impressionnée d'être seule avec lui, elle fut incapable de poursuivre.

– Vous avez apprécié le concert, hier soir ?

– Tout à fait. J'avoue qu'il va me manquer de ne plus y assister aussi souvent qu'avant. Comme je demeure à Québec...

« Pour combien de temps encore ? » songea-t-elle.

– Nous vivons le même dilemme, mon épouse et moi. Je le regrette, car j'apprécie beaucoup le classique. J'aime cet effet de relaxation qu'un concert me procure. Être premier ministre n'est pas de tout repos. Comme je le mentionne de temps en temps à Claudine, lorsque la politique sera chose du passé, nous nous reprendrons. Nous avons un horaire strict et il est bien difficile de s'en écarter.

Elle le trouva sympathique. Il semblait si naturel qu'elle se sentit subitement à l'aise.

– Vous deviez être surprise, ce matin, quand mon attachée de presse vous a appelée ?

– Oui... Par contre, je me doute un peu pourquoi vous désirez me rencontrer. Avant d'aller plus loin, je tiens à m'excuser d'avoir été si primesautière, hier soir. Je n'avais pas à mentionner que cette solution n'était pas la mienne. J'ai mal agi, j'en conviens... en plus d'avoir manqué de loyauté envers Madame Boisvert.

Marie-France fit une pause puis reprit.

– Lorsque vous m'avez félicitée de ma recommandation, j'étais tellement étonnée... que les mots me sont sortis de la bouche. Je trouve cet incident bien malheureux...

– Madame Tousignant, je vous en prie. Arrêtez de vous excuser. Je voulais vous rencontrer ce midi, parce que votre réaction a, en effet, soulevé en moi une interrogation. J'entends d'un côté que vous avez trouvé la solution miracle au problème du CSUGM et vous, vous me dites qu'elle ne vient pas de vous. Avouez que c'est spécial.

Il prit une gorgée d'eau avant de poursuivre.

– Alors, dites-moi. Qu'avez-vous suggéré à Madame Boisvert ?

* * *

Monsieur Tremblay s'apprêtait à quitter le restaurant; il était quatorze heures trente.

– Je vous remercie de m'avoir éclairé sur le sujet. Ce n'est pas du tout la solution que l'on m'avait soumise.

Marie-France ne répondit pas.

– Et vous êtes convaincue qu'avec deux cent vingt-cinq millions, Sainte-Famille sera rénové de fond en comble et fonctionnel ?

– Monsieur Tremblay, je suis plus que convaincue. Lorsque j'ai rencontré les ingénieurs de la CHQ, mardi après-midi, ils ont été très précis dans la ventilation des prix. Cent quatre-vingts millions seront nécessaires pour la rénovation de tous les pavillons de l'hôpital, vingt-cinq millions seront attribués pour rendre fonctionnels les trois CLSC, ainsi que les deux CHSLD, puis vingt millions de dollars serviront pour la construction d'étages supplémentaires sur le rez-de-chaussée de la clinique de l'Institut de recherche Legardeur.

– Donc, si ça prend deux cent vingt-cinq millions de dollars pour rénover et rendre fonctionnels Sainte-Famille et les centres satellites, jamais je ne croirai que ça va nous coûter plus de cinq cents millions pour rénover Marie-Reine-de-l'Incarnation et Sainte-Anne ?

– C'est exactement ce que je pense ! répliqua-t-elle.

– Donc, si nous abolissons l'idée de faire un CSUGM pour revenir à la case départ, en conservant les trois hôpitaux et en optant pour une rénovation de fond en comble, c'est près de cent soixante quinze millions que nous économiserons ? Le projet initial du

CSUGM prévoyait un investissement de neuf cents millions de dollars pour la construction d'un centre hospitalier unique.

– C'est plus que ça, ajouta-t-elle. Calculez plus d'un milliard et demi, car même si nous déménagions le CSUGM en un seul endroit, le gouvernement se verrait, malgré tout, obligé de rénover les locaux des centres actuels, à moins que vous ayez l'intention de les démolir ?

Un des deux gardes du corps s'approcha. Il fit signe au premier ministre qu'il était temps de partir ; un rendez-vous était prévu pour quinze heures à son bureau situé boulevard René-Lévesque.

– Excusez-moi, je dois vous laisser. Je tiens à vous remercier encore une fois d'avoir accepté mon invitation et soyez assurée que je vais analyser votre recommandation.

– Tout le plaisir était pour moi, Monsieur Tremblay.

Une fois qu'il fut sorti du restaurant, Marie-France commanda un sambuca… flambé.

En entrant dans sa limousine, Richard Tremblay se mit à réfléchir. Pourquoi la ministre lui avait-elle menti ? Pourquoi tenait-elle tant à construire un CSUGM à un seul emplacement ? La connaissant, il y avait sûrement anguille sous roche… et de lui faire changer d'idée ne serait pas une mince tâche. La ministre de la Santé et des Services sociaux était une femme engagée en politique depuis de nombreuses années ; ses supporteurs l'appuieraient de toute façon, qu'importe sa position sur Sainte-Famille et le CSUGM.

* * *

Marie-France quitta le restaurant vers quinze heures trente. N'eût été leur entente mutuelle de ne pas se revoir, elle aurait filé tout droit vers l'hôpital rencontrer Philippe. Déjà une semaine s'était passée depuis leur dernière rencontre. Comment ferait-elle pour résister et maintenir ce qu'elle avait exigé? Combien de temps faudrait-il encore avant qu'une décision soit prise?

La veille, elle avait vu Claire à la Place des Arts. Philippe devait y être aussi. Elle se demandait comment elle aurait réagi si elle l'avait croisé?

Elle sauta dans sa voiture et décida de retourner immédiatement à Québec.

CHAPITRE XV

La conférence de presse

Trois semaines s'étaient écoulées depuis le petit déjeuner pris au *Capitole.*

En ce 17 février, Philippe avait réuni tous les membres du conseil exécutif du CMDP à sept heures trente pour tenter de persuader les médecins de repousser à nouveau la date butoir du premier mars. La démission massive de tous les médecins de Sainte-Famille était imminente; plus rien ne pouvait les retenir.

Malgré le vote de confiance qu'ils lui avaient témoigné au mois de janvier, voyant que rien n'avançait à la suite de leur dernière assemblée avec l'exécutif, quelques médecins avaient mandaté le docteur Filion pour les représenter; Philippe St-Laurent semblait incapable de sensibiliser les instances ministérielles à leur cause.

Lorsqu'il entra dans la salle de réunion, tous les membres de l'exécutif l'attendaient silencieusement. Philippe s'installa au bout de la table, comme d'habitude, et commença sans attendre.

– Vous êtes au courant de la dernière nouvelle?

Tous firent un signe affirmatif sans le regarder.

– As-tu réussi à parler avec la sous-ministre depuis trois semaines, Philippe? demanda Paul Martineau en empruntant un ton réprobateur.

Incapable de cacher son état d'âme, Philippe montra des signes de découragement.

– Je n'ai malheureusement rien à vous apprendre pour le moment. L'essentiel, je vous en ai fait part, il y a deux semaines.

Paul se redressa sur son siège.

– Écoute, Philippe, tout semble nous glisser entre les mains présentement. Si nous ne sommes pas en mesure d'obtenir une réponse ferme du Ministère d'ici vendredi, nous nous dirigeons tout droit vers un échec de taille. Filion les a convaincus de démissionner et fietoi à moi que nous ne pourrons pas les retenir encore longtemps. Il est trop tard! ajouta-t-il en frappant le coin de la table.

– Paul, ce n'est pas le temps de se décourager, lança Philippe.

Paul, qui s'apprêtait à réagir, fut interrompu par André Provost, qui semblait au-dessus de ses affaires.

– Je suis au courant de ce qui se trame en ce moment. Des rumeurs circulent, selon lesquelles la ministre va annoncer prochainement qu'elle relance l'idée de construire le CSUGM à l'île Notre-Dame, près du Casino, et qu'un comité d'implantation formé de divers intervenants de tous les milieux, tant à l'interne qu'à l'externe, pilotera le dossier.

– D'où détiens-tu cette information? demanda Philippe, étonné de ce qu'André Provost avançait.

– Top secret! J'ai promis de ne pas révéler la source!

Les cinq médecins le regardèrent en se demandant s'il disait vrai. Philippe, frustré par la réponse qu'il venait de se faire servir, répondit sans attendre.

– Sacrament, André, je veux le nom de celui ou celle qui t'a donné cette information. Allez! Donne-nous la source sinon je vais commencer à croire que c'est toi qui nuis au dossier. Est-ce toi qui alimentes le directeur général pis Filion ? C'est toi la taupe ? Bordel !

Le teint empourpré, Philippe avait du mal à se contenir. Qu'un des membres de l'exécutif du CMDP lui joue dans le dos était inacceptable.

– Provost, si tu n'es pas en mesure de nous dire qui t'a fourni ces renseignements, regarde-moi bien aller ! Je me fous carrément des rumeurs.

André Provost se cala au fond de sa chaise sans rien ajouter.

Philippe regarda chacun d'eux sans dire un mot. La soupape était sur le point de sauter. Tout s'anéantissait autour de lui : le dossier de Sainte-Famille, sa relation avec Marie-France, son mariage. Malgré tout, il réussit à se ressaisir.

– Je tiens à vous rappeler que notre rôle est d'assurer la continuité des soins à nos malades en attendant de recevoir une décision du Ministère. Suis-je assez clair ? Ce matin, je vous ai convoqués pour que nous prenions position sur ce que les médecins s'apprêtent à faire dans onze jours.

– Qu'as-tu à suggérer, Philippe ? demanda Michel Patoine.

– Premièrement, je suggère que nous voyions Filion dans les plus brefs délais pour l'aviser d'arrêter de brasser de la marde. Au lieu d'aider notre cause, il est en train de tout faire foirer ! J'ai...

Le téléavertisseur de Philippe se mit à vibrer. Il pesa sur la touche pour annuler la vibration et continua la discussion sans regarder l'appareil.

– ... confiance en Marie-France Tousignant, continua-t-il. Elle semble contrôler la situation et si jamais ce projet-là ne passe pas avec elle, oubliez ça ! Notre chien va être mort, et ce, pour longtemps !

– Pourquoi ? interrogea Paul.

222 *Le combat de Philippe St-Laurent*

– Paul, cette fille-là a été mise sur le dossier du CSUGM pour le régler d'une façon ou d'une autre. Son mandat est clair et précis. Elle doit rendre une décision finale quant à son orientation d'ici le début de mars. Donc, il faut faire comprendre à Filion d'être patient au moins jusqu'à la fin mars, sinon on va tout perdre.

Le téléavertisseur de Philippe vibra à nouveau. Ce devait être urgent, pensa-t-il. Le message numérique indiquait le poste téléphonique de sa secrétaire.

– Excusez-moi, il semble y avoir une urgence.

– J'espère qu'elle est belle, au moins! lança Paul pour détendre l'atmosphère.

– Très drôle, répondit Philippe, tout en téléphonant.

Le silence s'installa dans la salle.

– Qu'est-ce qui se passe? Vous savez que je suis en réunion, vociféra-t-il sans laisser le temps à son interlocutrice de placer un mot.

Madame Cossette ne fit pas attention à sa réaction.

– Que me racontez-vous? Ah oui!...Quand et où?... Et la décision?... Un quoi?... Crisse, qu'est-ce qui se passe? Oui, oui, je vais vous rappeler quand j'en saurai un peu plus.

Philippe raccrocha et retourna s'asseoir. Lui qui ne blasphémait guère, il l'avait fait deux fois en moins de cinq minutes. Tous eurent peur d'entendre ce qu'il allait dire.

– Mauvaise nouvelle? demanda Paul, inquiet.

Un silence mortuaire régnait dans la pièce. Y avait-il un problème avec ses enfants ou avec Claire? Était-ce le sort de Sainte-Famille qu'il venait d'apprendre? Toutes ces questions que personne n'osait lui poser...

Philippe prit la parole sur un ton monocorde.

– Madame Cossette vient de me dire que le premier ministre s'apprête à donner une conférence de presse pour annoncer la décision du gouvernement à propos du CSUGM. La conférence va avoir lieu, tantôt, à onze heures, de son bureau d'Hydro-Québec.

– La partie est perdue? s'enquit Jean Lepage.

– Disons, que j'ai un mauvais pressentiment. C'est l'adjointe de Marie-France Tousignant qui a communiqué avec ma secrétaire pour lui signaler la tenue de la conférence de presse.

– Pis? fit Paul. Qu'est-ce qu'il y a de tragique là-dedans?

– Madame Tousignant avait pris soin de me mentionner qu'elle communiquerait directement avec moi si elle acceptait de garder Sainte-Famille hors du CSUGM. Est-ce qu'il faut que je vous fasse un dessin? C'est évident que nous venons de perdre la partie!

– Je vous l'avais dit, hein? lança André Provost.

– André, je t'en prie. Ce n'est pas le temps! rétorqua Paul.

– T'es content, André? lança Philippe.

Il fit une pause avant de poursuivre.

– Nous avons probablement perdu la partie, mais une chose dont je serai toujours fier, c'est d'avoir tout fait pour sauver cet hôpital. J'ai eu assez de *guts* pour aller au bout de mon idée et ça, personne ne pourra me le reprocher!

Philippe regarda Paul Martineau.

– Viens-tu avec moi à la conférence de presse? Nous avons deux laissez-passer.

– Pas de problème. Au point où on en est, allons nous faire mal encore un peu plus, ajouta-t-il en se levant pendant que tous les autres membres restaient cloués à leur siège, décontenancés.

* * *

Dès huit heures, les médias avaient été avisés de la tenue d'une conférence de presse. La dépêche, frappée d'un embargo, stipulait que le premier ministre procéderait à l'annonce d'une nouvelle visant le secteur de la santé à Montréal.

La fébrilité était palpable dans la salle. On n'entendait que les bruits reliés à la mise en place des microphones, à l'ajustement en champ de vision des caméras ou à leur installation sur un trépied. Les journalistes, par ailleurs, calepin de notes et crayon à la main, s'activaient pour chasser leur nervosité, prêts à poser leurs questions.

L'attachée de presse du premier ministre s'attardait à lui transmettre les dernières consignes avant le début de l'allocution.

À la table étaient assis Monsieur Tremblay, Madame Boisvert et Marie-France Tousignant. Tout laissait croire que c'est le premier ministre qui adresserait la parole au public.

Quant à Philippe et à Paul, ils réussirent à se faufiler à l'arrière de la pièce pour assister à la pire défaite de leur carrière. Philippe examina Marie-France. Rien, dans son comportement, ne prédisait ce que dévoilerait le premier ministre. Pourquoi n'avait-il pas réussi à la persuader de sauvegarder l'indépendance de Sainte-Famille ? Et cette idée, aussi, de lui avouer ses sentiments ; elle devait tellement se sentir en conflit d'intérêts qu'elle s'en était remise aux décisions entérinées bien avant sa venue au Ministère. Il était rongé par le trac qui l'avait gagné depuis une bonne demi-heure.

L'attachée de presse, un peu en retrait, s'avança vers le lutrin. Elle souhaita la bienvenue à tous les journalistes et leur demanda de réserver leurs questions à la fin de l'annonce que le premier ministre se préparait à livrer. Le silence s'installa dans la salle et les caméras se mirent à tourner.

Le premier ministre prit la parole, conservant le ton austère qui le caractérisait si bien.

– Bonjour. Notre gouvernement a procédé, au cours des dernières semaines, à une réévaluation du dossier du CSUGM. Certaines questions reliées à la sécurité de la population et aux services de santé ont été analysées à nouveau pour nous assurer que ce projet répondait toujours aux attentes.

Nous percevons, dans la population, une profonde déception quant à l'offre de soins de santé dans le secteur sud de Montréal. C'est pour cette raison que j'ai demandé de revoir les prémisses de départ sur lesquelles le Ministère s'était appuyé pour annoncer la création du CSUGM, ceci afin de statuer définitivement sur l'avenir des trois centres hospitaliers, dont l'hôpital Sainte-Famille.

Je ne vous apprends rien en vous disant que depuis les dernières années, l'ensemble du personnel, des médecins et des patients de l'hôpital Sainte-Famille subissent les hauts et les bas de décisions administratives qui remettent constamment en question sa raison d'être.

Bien que ce débat de fond ait débuté longtemps avant notre arrivée au pouvoir, nous ne pourrons jamais nier avoir participé au questionnement de cet établissement de santé. Il y a quatre ans, nous avons conclu que Montréal devait se doter d'un centre hospitalier universitaire d'envergure, d'où la fusion des trois hôpitaux francophones de Montréal pour créer le CSUGM.

Les années ont passé avec le résultat que nous connaissons tous. Au début de décembre, j'ai demandé à Madame Tousignant de nous soumettre, en collaboration avec la Corporation d'hébergement du Québec, une étude de faisabilité pour évaluer l'impact monétaire de la rénovation complète de Sainte-Famille au lieu de l'amalgamer aux deux autres centres hospitaliers. Plusieurs scénarios ont été étudiés, mais un seul a véritablement attiré notre attention. En plus de la rénovation de l'hôpital, nous avons examiné la faisabilité que la direction de Sainte-Famille administre les activités d'établissements dotés d'une mission complémentaire, pour créer un concept hospitalier universitaire unique au Canada.

À l'heure où le réseau de la santé ne répond plus à l'ensemble des attentes de la population et des élus politiques, le gouvernement a retenu une solution avant-gardiste qui, souhaitons-le, ralliera tous nos concitoyens et concitoyennes de la grande région de Montréal.

J'ai donc le plaisir de vous annoncer que le gouvernement du Québec va octroyer deux cent vingt-cinq millions de dollars afin de procéder à la rénovation complète de tous les pavillons de l'hôpital Sainte-Famille, à la construction de nouveaux laboratoires de recherche et à l'achat de nouveaux équipements.

Sainte-Famille demeurera un centre hospitalier universitaire de courte durée, ultraspécialisé, auquel seront fusionnées les activités administratives et la gestion des activités cliniques des trois CLSC suivants : soit le CLSC Jean-Eudes, le CLSC du Mont-Royal ainsi que le CLSC De La Flèche. Aussi, le CHSLD Antoine-de-Padoue et Saint-Hurtubise, situés un peu plus bas sur Berri, feront partie du complexe hospitalier.

Le premier ministre s'arrêta quelques secondes pour prendre une gorgée d'eau et continua son discours.

– Comme vous le savez, la recherche clinique est le moteur de l'avancement médical. Étant donné que Sainte-Famille évolue dans un contexte universitaire, le gouvernement doit tout mettre en œuvre pour doter cette institution de laboratoires pourvus d'équipements de pointe. Nous désirons que nos chercheurs rayonnent à travers le monde et c'est pourquoi nous annonçons que toutes les activités de recherche clinique seront transférées à l'Institut Legardeur, situé en face de l'hôpital, rue Berri. En effet, pas plus tard qu'hier matin, nous avons conclu une entente de principe avec les administrateurs de cette institution; celle-ci s'appellera dorénavant l'Institut de recherche de Sainte-Famille.

Le premier ministre fit une autre pause.

– Dans les prochains jours, nous commencerons les procédures pour la nomination d'un nouveau conseil d'administration qui sera composé de quinze membres. Une fois la nomination obtenue d'un président ou d'une présidente du conseil d'administration, nous afficherons le poste, pour l'embauche d'une directrice ou d'un directeur général.

Il se tourna vers son attachée de presse pour l'informer qu'il avait terminé.

Elle prit la parole.

– Nous allons passer à la période des quest...

Un journaliste l'interrompit.

– François Duquesne, de RDI. Monsieur le premier ministre, quelle est la raison qui motive ce revirement de situation? Il y a à peine trois mois, Madame la ministre Boisvert mentionnait que le CSUGM était là pour rester et que les médecins de Sainte-Famille devaient entrer dans les rangs. Est-ce la menace des médecins de Sainte-Famille de démissionner le premier mars qui a encouragé le gouvernement à revenir sur sa décision?

Le premier ministre avala une gorgée d'eau pendant qu'il préparait sa réponse.

– Non, ce n'est pas le genre du gouvernement de céder aux menaces. Il est vrai que Madame Boisvert a tenu ces propos en décembre mais, pour être certains que nous prenions la bonne décision, nous avons fait appel à Madame Tousignant, sous-ministre aux immobilisations, afin qu'elle revoie ce dossier dans son ensemble quant au maintien ou non de Sainte-Famille dans le CSUGM.

– Jean Lanouette, de TVA. Ma question s'adresse à Madame Tousignant. Qu'est-ce qui vous a amenée à suggérer la fusion de Sainte-Famille avec les CLSC et CHSLD du territoire et combien de postes seront abolis ?

Marie-France se rapprocha de la table, fixant Philippe, debout, au fond de la salle.

– Bon. Pour répondre à votre première question, je tiens à préciser que cette solution a déjà fait ses preuves en région. Mais, pour reprendre les mots de notre premier ministre, cette solution est avant-gardiste du fait que nous fusionnons des établissements à vocation universitaire ayant une mission complémentaire. En région, on parle d'un budget global qui oscille entre dix et trente-cinq millions. Dans le cas qui nous préoccupe, le budget global annuel sera de l'ordre de trois cent cinquante millions. Et ce qui est rafraîchissant, c'est que cette solution provient de l'interne.

Je tiens à mentionner que j'ai analysé toutes les possibilités du maintien ou non de l'hôpital Sainte-Famille dans le CSUGM mais, après avoir consulté la Corporation d'hébergement du Québec, il s'est avéré plus avantageux de délaisser le premier projet au profit de la solution retenue. Celle-ci permettra d'épargner des sommes considérables aux contribuables, en plus d'offrir des soins de santé et de services sociaux auxquels ils ont droit, sans oublier que nous allons conserver une corporation hospitalière qui a fait ses preuves depuis sa fondation en 1728. Pour ce qui est de votre deuxième question, il n'est aucunement prévu d'abolir des postes car l'établissement est en pénurie de personnel. Toutefois, il y aura une réorganisation importante des effectifs dans le but d'améliorer les services aux patients.

– Michèle Paré-Lorrain, du *Journal de Montréal*. Que va-t-il advenir des deux autres centres hospitaliers ?

Marie-France regarda le premier ministre. Il lui fit un signe de tête, l'invitant à répondre.

– Pour l'instant, nous allons conserver le statu quo, car Marie-Reine-de-l'Incarnation et Sainte-Anne vivent très bien la fusion.

– Une dernière question, avisa l'attachée de presse.

– Martin Paquette, de *La Presse*. Une rumeur circulait à l'idée de construire un hôpital de près de neuf cent cinquante millions dans l'île Notre-Dame. Pouvons-nous dire maintenant que ce projet est mort ?

Le premier ministre s'avança vers le microphone.

– Ce n'était pas une rumeur, Monsieur Paquette. L'hypothèse de construire un hôpital de neuf cent cinquante millions dans l'île Notre-Dame, rapatriant tout le personnel et les médecins des trois hôpitaux, a bel et bien été envisagée. Par contre, pour faire suite à l'étude effectuée par les ingénieurs de la CHQ, et pour des raisons que je n'ai pas l'intention de discuter ici, il s'est avéré que cette solution n'aurait été qu'un baume temporaire au conflit qui existe sur les plans médical et de la recherche. De plus, le fait d'enlever deux centres hospitaliers situés au centre-ville de Montréal, où près de six cent mille personnes évoluent tous les jours aurait été une grave erreur. Je vous remercie.

Le premier ministre se leva et la conférence de presse prit fin.

Les journalistes habitués à couvrir les activités médicales n'en revenaient pas. Michèle Paré-Lorrain n'avait eu vent de rien, elle qui détenait toujours le *scoop* dans le domaine.

Seul Martin Paquette, du quotidien *La Presse,* avait entendu quelques bribes de conversations, mais rien n'avait été confirmé par ses précieux contacts au Ministère. Le secret avait été, pour une fois, bien gardé.

Il était onze heures trente-cinq lorsque l'allocution de Monsieur Tremblay prit fin. Les journalistes se ruèrent sur leurs cellulaires pendant que d'autres griffonnaient les dernières notes pour être prêts à livrer ce qui serait la nouvelle de la journée.

Paul se tourna vers Philippe et lui fit une accolade hors du commun. Ils venaient de gagner une des plus grandes batailles que Sainte-Famille avait dû livrer au cours de son existence.

– Ton nom va passer à l'histoire, mon vieux! dit-il, les yeux rougis par l'émotion.

– Si tu savais à quel point je m'en fiche pour l'instant. La seule chose dont je suis fier en ce moment, c'est d'avoir été capable de persévérer dans cette lutte que tous croyaient perdue d'avance. Tu vois, Paul, il ne faut jamais abandonner. Lorsque tu crois en quelque chose, il faut aller jusqu'au bout. Tu comprends? Jusqu'au bout! Sinon, à quoi ça sert de se battre?

– Tu as bien raison. Quand je pense à Filion qui croyait que tout était perdu. Tu viens de lui servir toute une leçon.

– Pas juste à lui, mais aux autres aussi, dont toi, en passant, lança Philippe, visiblement heureux d'avoir gagné.

Les yeux de Philippe s'embuèrent. Son père aurait été fier d'assister à sa victoire.

* * *

François Duquesne salua Martin Paquette en sortant de la salle.

– J'ai l'impression qu'il y en a une qui ne restera pas en poste encore longtemps.

– Qui? La ministre?

– Ouais! Elle n'a pas dit un traître mot. Gages-tu qu'il va annoncer, la semaine prochaine, que la Madame s'en va ailleurs?

– Ça serait peut-être pas une mauvaise idée... Salut. Il faut que je me sauve!

Marie-France s'avança vers Philippe. Lorsqu'elle fut rendue près de lui, il lui fit un clin d'œil. Feignant de n'avoir rien vu, elle ressentit néanmoins une douce sensation. La décision était prise quant au dossier du CSUGM; qu'adviendrait-il maintenant de leur relation?

– Bonjour, docteur St-Laurent, dit-elle en lui serrant la main.

– Bonjour, Madame Tousignant. Je veux vous présenter mon collègue, le docteur Paul Martineau.

– Enchantée de vous rencontrer, docteur Martineau. Vous êtes heureux de l'annonce? demanda-t-elle en promenant son regard de Philippe à Paul.

– Comment ne pas être heureux, Madame Tousignant. C'est la meilleure décision que le gouvernement ait prise depuis belle lurette, ajouta Philippe en la regardant amoureusement.

Voyant la réaction de son confrère, Paul comprit que Philippe ne semblait pas entretenir avec Marie-France seulement une relation d'affaires. Juste à les voir, il sut rapidement quelle conduite adopter.

– Veuillez m'excuser, Madame la sous-ministre. Je dois vous quitter. Il y a des patients qui doivent être exaspérés d'attendre.

– Salut, Paul. On se reparle.

Une fois que Paul se fut éloigné d'eux, Philippe fixa Marie-France.

– Qu'est-ce qu'on fait maintenant?

– As-tu le goût de fêter, ce soir? demanda-t-elle du bout des lèvres.

– Euh, oui!... Mais laisse-moi vérifier avant. Claire est descendue avec moi, aujourd'hui. Sa voiture est au garage.

– Puis?

– C'est pour le retour...

– Je te ramènerai chez toi, si tu veux.

– Je peux prendre un taxi aussi, dit-il en balayant du regard la salle de plus en plus déserte. Laisse-moi vérifier et je te rappelle. Où puis-je te joindre?

– Appelle-moi à mon cellulaire.

Elle fouilla dans son sac à main et sortit une carte d'affaires, prenant soin d'y inscrire son numéro.

– À plus tard, dit-elle en prenant un air langoureux.

– À plus tard.

Philippe quitta l'immeuble d'Hydro-Québec pour retourner à Sainte-Famille. Pendant que le chauffeur de taxi empruntait la rue Jeanne-Mance où défilait sous ses yeux la Place des Arts, Philippe tomba dans un état second. Lui qui croyait tant à ce projet, était-il possible qu'il ait enfin réussi à gagner le pari, en si peu de temps?

* * *

Richard Tremblay avait été ébranlé par la solution de Marie-France d'isoler Sainte-Famille du CSUGM. Cette idée de fournir des soins de santé par l'intermédiaire de complémentarité entre divers types d'établissements était logique.

Depuis la rencontre au restaurant *Chez Julien*, il ressassait constamment la même question. Pourquoi aucun fonctionnaire, tant à l'hôpital qu'à la Régie régionale de Montréal-Centre ou au ministère de la Santé, ne lui avait-il suggéré cette solution plus tôt?

Qui étaient-ils, en tant que membres du gouvernement, pour décider que le CSUGM s'avérait le meilleur scénario? Comment se déroulait la fusion des hôpitaux affiliés à l'université McGill? Sur cette question, on l'avait informé que ce n'était pas dans la mentalité anglophone de se disputer sur la place publique. En contrepartie, ce n'était pas les guerres qui manquaient à l'interne.

Son idée était faite. Le gouvernement devait surseoir à cette volonté de maintenir le CSUGM. Afin de persuader la ministre de la Santé de modifier la structure du CSUGM, il la rencontra au *bunker*.

Après deux heures de discussion où la ministre de la santé avait objecté à maintes reprises des raisons que Richard Tremblay qualifia de partisanes, il fut entendu que le CSUGM, présenté dans la forme actuelle, ne verrait jamais le jour. Sainte-Famille demeurerait à son emplacement actuel et on y fusionnerait les activités administratives des CLSC et CHSLD de son territoire en confiant les soins d'urgence sans interruption à deux des trois CLSC. Les cas plus lourds, eux, seraient dirigés à l'hôpital. Quant à la mission des deux autres centres hospitaliers, le premier ministre désirait attendre quelques mois pour se concentrer sur le dossier en cours.

Richard Tremblay avait été extrêmement sarcastique à l'endroit de Madame Boisvert. Déçu qu'elle lui ait menti, il l'avait informée qu'elle serait mutée à plus ou moins brève échéance à la direction d'un ministère de très faible envergure. Il n'acceptait pas de se faire bafouer par la personne qui gérait le Ministère qui absorbait plus de quarante pour cent du budget gouvernemental. Agir ainsi était inacceptable de sa part et il fallait qu'elle s'en souvienne.

Marie-France apprit la nouvelle seulement le 5 février. Le premier ministre lui avait demandé de se présenter à son bureau pour planifier la conduite à adopter pour renverser tout ce à quoi plusieurs s'attendaient, en commençant par l'Université de Montréal. Les médecins de Sainte-Famille entretenaient toujours la menace de démissionner le premier mars si aucune décision n'était prise quant à l'avenir de l'hôpital. Marie-France en avait eu la confirmation à la suite d'une conversation avec Philippe. L'échéance approchait et tout laissait croire qu'ils mettraient leur plan à exécution.

Une fois avisé de cette bravade, le premier ministre avait convoqué, dès le 9 février, tous les hauts dirigeants de la Régie régionale de Montréal-Centre, du CSUGM, du CLSC qui assurait déjà la gestion des deux autres CLSC, des CHSLD et des directeurs généraux du centre de recherche du CSUGM et de l'Institut de recherche Legardeur, sans oublier le doyen de la faculté de médecine de l'Université de Montréal.

Il leur avait exposé la situation et leur avait mentionné que sa décision était officielle et sans retour. La vocation universitaire serait redonnée à Sainte-Famille et maintenue dans les deux autres centres hospitaliers universitaires. Même si certains ne semblaient pas d'accord avec cette nouvelle orientation, ils comprirent qu'ils ne pourraient argumenter.

Il avait demandé à tous les interlocuteurs présents à cette assemblée de ne rien dévoiler de la nature de ces propos jusqu'à la tenue de la conférence de presse prévue pour le jeudi 18 février à onze heures, à son bureau de Montréal.

CHAPITRE XVI

Hôtel Delta

Dès l'entrée au pavillon De Maisonneuve, l'atmosphère était déjà à la fête. La nouvelle s'était répandue comme une traînée de poudre à travers tout l'hôpital. Déjà, deux journalistes, micros à la main, interviewaient des employés pour obtenir leurs premiers commentaires.

En contournant tout ce brouhaha, Philippe croisa Claire et son frère Pierre, près du poste de la sécurité.

– Content, le beau-frère? demanda Pierre.

– Qu'est-ce que tu penses? répondit-il en envoyant la main à un médecin.

– Enfin, c'est fini. Tu vas pouvoir passer à autre chose, dit Claire.

– Oh! Attendez une minute. Pensez-vous que nous allons nous reposer. Il y a du boulot devant nous, une structure à mettre en place...

– Je suis d'accord avec toi, Philippe, mais au lieu de démolir, tu vas construire. En passant... Je tiens à te dire que j'ai toujours été de ton c...

Philippe l'interrompit.

– Je sais, Pierre. Tu étais d'accord avec notre démarche, sauf que tu avais le doigt pris entre l'arbre et l'écorce, c'est ça?

– Exactement. Si tu savais comme j'ai toujours été mal à l'aise avec ce dossier.

– Oublie ça. C'est réglé maintenant.

Philippe regarda Claire.

– Je dois rester à Montréal, ce soir. Mon avocat tient absolument à me rencontrer pour que nous revoyions ma présentation.

– J'ai besoin de l'auto, Philippe. J'ai des courses à faire.

– Pas de problème, prends-la. Il m'a offert de me reconduire en fin de soirée.

– Je vous laisse, lança Pierre, sentant qu'il était de trop.

– C'est vraiment ennuyant, Philippe. Moi qui aurais tant souhaité que nous fêtions cette grande nouvelle.

– On se reprendra, Claire. Je dois absolument y aller. Bye, dit-il en s'éloignant.

– Bye, répondit-elle, songeuse.

* * *

Claire quitta l'hôpital peu avant le souper. Elle entra dans la voiture et appuya sur le bouton-poussoir pour ajuster son siège. Elle sentit une résistance. Elle tenta d'inverser la manœuvre mais rien n'y fit. Claire sortit de la voiture pour vérifier ce qui obstruait le mécanisme. En se penchant, elle aperçut sous le siège un objet rectangulaire qu'elle tenta de dégager. Une fois récupéré, elle lut la note collée à la vidéocassette : « Pour Philippe de Caroline » .

– Qu'est-ce que ça veut dire, « Pour Philippe de Caroline » ? En général, Caroline appelle Philippe « docteur St-Laurent ». Pourquoi « Philippe », soudainement ?

Elle mit la clé dans le contact et fila tout droit à St-Lambert au lieu d'aller faire ses courses.

À la maison, elle salua Lise, qui s'affairait à la préparation du souper.

– Philippe ne sera pas des nôtres, ce soir. Alors... dès que tout sera prêt, appelle-moi; je serai dans ma chambre.

– Très bien, Claire.

– Où sont les enfants?

– Ils regardent la télévision.

– D'accord. À plus tard.

Claire monta à sa chambre et ferma la porte. Elle pénétra ensuite dans son boudoir, ouvrit le téléviseur ainsi que le magnétoscope et y inséra la vidéocassette. Celle-ci se mit automatiquement en marche. Elle s'installa dans son fauteuil et vit apparaître Caroline à l'écran.

– Caroline...!

Le cœur de Claire se mit à battre très fort.

– «... comme tu sais, les deux dernières années ont été, pour nous deux, une vie de montagnes russes. Bien que tu m'aies dit que tu ne laisserais jamais Claire...»

«Pas Caroline», soupira-t-elle.

– «... j'ai toujours gardé espoir que tu changerais d'idée, malheureusement je n'ai pas réussi à te convaincre...

... Je veux me marier et avoir des enfants... pour cette raison, je te libère et je te retourne complètement à ta femme.»

Anéantie par cette révélation, elle se mit à pleurer. Même si, depuis quelques semaines, elle doutait de la fidélité de Philippe, elle tentait de se persuader du contraire. Mais là, devant un tel aveu, il ne lui servait à rien de continuer à jouer à l'autruche. Il la trompait depuis déjà deux ans.

– Ce n'est pas possible. Comment ai-je pu ne m'apercevoir de rien? Qu'ai-je fait pour qu'il aille voir ailleurs?

Comment Caroline avait-elle pu lui parler toutes ces années sans faire une seule allusion à leur liaison? Comment cette liaison avait-elle pu rester secrète aussi longtemps? Avait-on voulu l'épargner? À l'évidence, on la traiterait de naïve.

Lise informa Claire que le souper était prêt mais celle-ci l'avisa qu'elle ne mangerait pas.

Claire fit reculer le ruban de la vidéocassette et la visionna à nouveau. Les yeux hagards, elle se mit à faire défiler, dans sa tête, les événements des deux dernières années de leur vie commune; Philippe s'était absenté régulièrement au cours de cette période. Plus distrait, des raisons bizarres pour expliquer ses retards. Et cette hantise de son corps, cette obligation de conserver un physique athlétique.

– J'avais tellement confiance en lui. Pourquoi m'a-t-il trompée?

Soudain, elle s'arrêta de pleurer, réalisant que la vidéocassette avait été enregistrée avant les fêtes puisque Caroline y mentionnait qu'elle prenait ses vacances: «... à compter de ce soir jusqu'au 3 janvier».

Cela voulait donc dire que la femme avec lui, à Québec, n'était pas Caroline, mais bien une autre. Marie-France Tousignant, sa nouvelle flamme? Ben voyons donc! Ça n'a pas de sens. Pas deux maîtresses en si peu de temps.

Il fallait qu'elle trouve au plus vite la solution de cette énigme. Si Philippe la trompait toujours, il était hors de question que cela continue. Elle ne méritait pas d'être traitée ainsi. S'il ne l'aimait plus, il devrait choisir: rentrer dans les rangs ou la quitter.

Claire alla s'asperger le visage d'un peu d'eau et prit une serviette pour s'essuyer. Elle revint dans la chambre et jeta un bref coup d'œil à la fenêtre.

– Où est-il vraiment ce soir? dit-elle à voix haute.

Son regard se posa sur le réveil.

– Dix-neuf heures... Son avocat!

Sans perdre un instant, elle sortit le calepin d'adresses de son sac à main et chercha la lettre M où était inscrit le numéro de téléphone de maître Luc Marsan. Elle composa le numéro et une voix masculine répondit.

– Marsan Languedoc, bonsoir.

– Bonsoir, mon nom est Claire de Bellefeuille. J'aimerais parler à maître Marsan.

– Oh, je regrette. Il vient tout juste de partir.

– Ah non! répondit Claire.

– Puis-je prendre le message? Il vous rappellera demain matin?

– Euh!...

– Attendez. Je crois qu'il revient.

Deux minutes s'écoulèrent...

– Luc Marsan à l'appareil.

– Bonsoir Luc, c'est Claire de Bellefeuille.

– Bonsoir, Claire. Tu es chanceuse de m'attraper au vol, j'étais déjà parti. J'ai dû revenir chercher un dossier. Que me vaut l'honneur de ton appel?

– Je suis un peu mêlée, Luc. Je cherche Philippe et je ne suis pas certaine si c'est ce soir que vous aviez une rencontre ensemble.

– Non, c'est lundi prochain.

– Je te remercie infiniment.

– Tu le cherches?

– Oui, mais ce n'est rien d'urgent. Bonne soirée, alors!

– Bonne soirée, Claire.

Au moment où elle raccrocha, un regain d'énergie l'envahit soudain. Philippe la trompait et il ne lui servait plus à rien d'ignorer ce fait. Elle ressassa les confidences que lui avait faites Anne-Marie trois semaines plus tôt, puis les révélations de Caroline. Il fallait maintenant trouver l'actuelle maîtresse.

– Marie-France Tousignant ! Je suis certaine qu'il est avec elle, ce soir. Ils doivent être allés fêter la grande nouvelle de Sainte-Famille, dit-elle, hargneuse.

Mais où ?

Claire faisait les cent pas dans sa chambre lorsque Lise cogna à la porte.

– Est-ce que ça va, Claire ?

– Oui, Lise. Je suis juste fatiguée. Ne t'inquiète pas.

– Très bien, répondit-elle.

Claire l'entendit s'éloigner.

– Monsieur Champagne ! Je suis sûre qu'il doit savoir où elle se trouve. Ils semblaient tellement complices !

Claire se rendit à son bureau récupérer l'invitation que lui avait fait parvenir Madame Champagne quelques jours avant Noël. En fouillant dans le plateau à lettres où une masse de papiers étaient disposés pêle-mêle, elle mit la main sur le carton.

De retour à sa chambre, elle appela chez les Champagne. C'est Madame qui répondit.

– Bonsoir, Madame Champagne, Claire de Bellefeuille, l'épouse du docteur Philippe St-Laurent.

– Bonsoir, Claire. Vous allez bien ?

– Oui, très bien.

– Que puis-je faire pour vous ? demanda-t-elle, un peu surprise de son appel.

– Madame Champagne, Philippe aurait besoin de joindre votre nièce. Comme vous le savez, ils travaillent ensemble sur le dossier de Sainte-Famille.

– Bien oui. Une grande nouvelle a été annoncée, aujourd'hui, à propos de ce centre hospitalier !

– Vous étiez au courant ?

– Oui, parce que Marie-France a téléphoné ce matin, quelques minutes avant la tenue de la conférence de presse, pour nous en donner la primeur.

– Ah oui !

– Oui. Elle voulait nous appeler du *Delta*, mais un embargo sur la diffusion l'en empêchait. Elle tient à ce que nous soyons, ses parents et nous, les premiers à être informés des annonces publiques.

– C'est bien, répondit Claire, se foutant de la gentillesse de Marie-France.

– Vous dites qu'elle est au *Delta* ?

– Oui, jusqu'à demain matin.

– Parfait. Philippe saura où la joindre, alors. Je vous remercie beaucoup.

Claire raccrocha sans lui laisser le temps de la saluer à son tour.

« Ils sont probablement au *Delta* en train de faire l'amour » pensa-t-elle, la rage au cœur.

Elle prit à nouveau le téléphone puis composa le 411.

– Montréal... non... l'hôtel *Delta*.

Le standard automatisé lui transmit le numéro de l'hôtel et Claire le composa sans perdre une minute.

– Bonsoir, bienvenue à l'hôtel *Delta* !

– Bonsoir, j'aimerais obtenir le numéro de chambre de Madame Marie-France Tousignant.

– Malheureusement, Madame, nous ne donnons pas ce genre d'information.

– Pouvez-vous me mettre en communication avec sa chambre, par contre ?

– Bien sûr, Madame. Un instant.

Deux coups de sonnerie se firent entendre avant que Marie-France réponde :

– Bonsoir ! dit-elle, essouflée.

Reconnaissant sa voix, Claire raccrocha et alla s'asseoir sur le coin du lit pour réfléchir.

– Toi, Philippe St-Laurent, tu vas regretter cette aventure pour le restant de ta vie ! Si tu croyais que j'étais naïve, eh bien, tu vas être étonné du contraire dans pas grand temps!

Dans son *walk-in,* elle changea de vêtements. Elle enfila un pantalon de cuir noir et un chandail en mohair de même ton. Elle retoucha rapidement son maquillage et descendit aviser Lise qu'elle sortait pour la soirée.

* * *

Claire fit irruption dans le hall de l'hôtel à vingt heures cinq. Elle s'immobilisa quelques instants et une idée lui vint en tête. Elle se dirigea vers les ascenseurs pour consulter la numérotation des chambres. Elle nota un numéro, au hasard, et décida de se rendre au bar, sachant ce qu'il lui restait à faire.

Elle s'installa dans un fauteuil situé près d'une fenêtre. Un serveur s'avança vers elle.

– Bonsoir, Madame.

– Bonsoir, répondit-elle.

– Que peut-on vous offrir?

– Euh... Je m'apprête à aller me coucher dans quelques minutes... une tisane peut-être?

– Quelle sorte désirez-vous? Nous avons de la camomille, du tilleul, de la menthe ou de la verveine...

– Je vais prendre une camomille.

– Très bien, Madame.

Deux hommes d'affaires, installés au bar, avaient remarqué Claire au moment de son entrée. L'un d'eux l'observait avec une certaine insistance.

– Au moins, il y en a un qui me regarde, pensa-t-elle, encore frustrée de ce qu'elle venait d'apprendre.

Le serveur l'arracha à ses pensées.

– Voici votre tisane.

– Merci beaucoup. Puis-je avoir l'addition tout de suite?

– À l'instant, Madame.

Quelques minutes s'écoulèrent avant que le serveur réapparaisse avec l'addition. Claire ajouta le pourboire à la note et signa le feuillet au nom de Marie-France Tousignant tout en prenant soin d'inscrire, sous la signature, son nom en lettres moulées. Ensuite, elle inscrivit dans la case appropriée un numéro de chambre.

Si tout se déroulait comme prévu, le serveur s'apercevrait de l'erreur au moment où il imputerait la dépense à la chambre. Il verrait sûrement que le numéro de chambre ne correspondait pas avec le nom de la cliente. Et, avec un peu de chance, elle lui ferait cracher le morceau.

Le serveur vint chercher l'addition et lui souhaita une bonne soirée. Claire resta dans le fauteuil à siroter sa tisane.

« S'il pouvait s'apercevoir de l'erreur tout de suite... » pensa-t-elle.

Comme par magie, il revint à peine quelques secondes plus tard.

– Pardon, Madame.

– Oui?

– Vous n'avez pas inscrit le bon numéro de chambre.

– Ah non? Attendez...

Claire fouilla dans ses poches de pantalon puis dans son sac à main.

– Zut! J'ai laissé ma carte magnétique et mon carton d'inscription à la chambre.

– Attendez! Je vais vérifier à l'ordinateur.

Il revint deux minutes plus tard.

– Vous êtes au 956.

– C'est vrai. Merci beaucoup.

– Pour la clé de votre chambre, vous n'avez qu'à retourner à l'accueil, le préposé vous en remettra une nouvelle.

– D'accord, lança Claire, contente d'avoir réussi à obtenir l'information tant désirée.

Elle but une dernière gorgée de tisane et quitta le bar, sans plus attendre. Elle reprit son manteau au vestiaire et descendit le grand escalier, nerveuse. Comment réussirait-elle à les affronter tous les deux.

Les portes de l'ascenseur s'ouvrirent au neuvième étage. Son cœur battait à tout rompre. Quelle excuse trouverait-elle à dire à Marie-France si Philippe n'était pas dans la chambre? Et s'il y était? Comment les aborderait-elle?

Elle arriva enfin devant le 956 et s'en approcha doucement en regardant autour d'elle pour être certaine de n'être vue par quiconque. Elle colla son oreille contre la porte pour écouter ce qui se passait à l'intérieur; elle n'entendit rien. Absolument rien. Que faisaient-ils? Étaient-ils toujours là? Elle s'apprêtait à frapper lorsqu'elle entendit un bruit. Elle se retourna rapidement pour réaliser qu'un garçon de chambre s'apprêtait à livrer un repas.

Discrètement, elle recula et revint sur ses pas, croisant le garçon de chambre qui poussait un chariot chargé de victuailles. Quelques secondes plus tard, il s'immobilisa et frappa à la porte d'une chambre.

Spontanément, elle se retourna et le vit attendre devant la porte de la chambre 956.

« Fantastique! » pensa-t-elle intérieurement.

La porte s'ouvrit et les occupants le firent entrer.

« Connaissant Philippe, le choix doit être royal pour fêter ce grand événement! » songea-t-elle.

Elle s'avança à nouveau vers la porte et y reposa son oreille pour entendre la voix de son mari. L'attente fut courte. Elle ne put se contenir plus longtemps.

Le garçon de chambre sortit et, comme il allait fermer la porte, Claire fit irruption dans la pièce, prenant

tout le monde par surprise. Claire regarda le garçon :
« Merci, jeune homme ! » puis elle ferma la porte derrière elle.

Claire se tenait debout devant eux, en pleine pos-
session de ses moyens, malgré cette colère qui l'avait
envahie dès qu'elle avait entendu la voix de Philippe.
Enfin, elle le prenait sur le fait.

– Bonsoir ! J'espère que je ne vous dérange pas,
dit-elle en les regardant tous les deux, enveloppés d'un
peignoir de couleur crème.

Elle avait le visage ravagé par la colère.

Philippe et Marie-France, estomaqués, demeurèrent muets.

Claire s'avança vers le chariot et souleva une des
deux cloches.

– Ah, un carré d'agneau !

Elle souleva l'autre cloche.

– ... et un autre carré d'agneau ! Décidément,
vous avez les même goûts !

– Ça suffit, Claire ! réussit à formuler Philippe.

– Quoi ! Ai-je bien compris ? Tu viens de me dire :
« ça suffit » ?

Claire regarda Philippe comme s'il était le dernier
des derniers.

– Il faut avoir du culot pour mentir de la sorte !
Monsieur est censé être avec son avocat. Maudit beau
mensonge, n'est-ce pas, Madame la sous-ministre ?

Marie-France ne répondit pas ; elle tentait de comprendre comment Claire avait bien pu les retracer.
Philippe, totalement impuissant dans cette situation,
se dirigea vers la salle de bains pour s'habiller. Marie-
France, elle, se retira vers la fenêtre sans dire un mot.

– Réalisez-vous que vous couchez avec un homme
marié depuis douze ans, et qui est le père de trois enfants ? Êtes-vous consciente du tort que vous réus-
sissez à faire autour de vous ?

Marie-France resta silencieuse. Cela ne servait à rien d'intervenir. Elle était la méchante, la voleuse de mari.

– Ça va vous faire une maudite belle réputation lorsque la population va apprendre que vous couchez avec le président du CMDP, le grand défenseur de Sainte-Famille! Si c'est de cette façon que les dossiers se règlent au gouvernement, je comprends maintenant les raisons qui expliquent que tout va mal dans ce réseau!

Claire s'approcha d'elle et la regarda droit dans les yeux. Elle était tellement en furie qu'une petite veine dans son œil gauche venait d'éclater, laissant apparaître une tache rouge.

– Avez-vous couché aussi avec le premier ministre pour réussir à le convaincre d'isoler Sainte-Famille du CSUGM?

– Vous allez un peu trop loin, Madame St-Laurent!

– Madame St-Laurent!... Ha!... Ai-je bien entendu?

Philippe sortit de la salle de bains.

– Viens, Claire, rentrons! dit-il.

– Rentrons?

Elle se retourna et le regarda, prête à le frapper.

– Il n'en est tout simplement pas question. Si tu me trompes, tu dois avoir de bonnes raisons, n'est-ce pas? Donc je ne te compliquerai pas la vie, Philippe St-Laurent. Je te laisse avec elle! ajouta-t-elle en regardant Marie-France avec répugnance.

– Voyons, Claire, ce n'est pas du tout ce que tu penses, dit-il en finissant de faire le nœud de sa cravate.

Claire éclata de rire.

– J'aurai tout entendu. À quoi dois-je penser? Comment dois-je interpréter le fait que vous soyez tous les deux en peignoirs dans une chambre d'hôtel, et ce, quelques heures après l'annonce d'une grande nouvelle? Le lit est défait, une bouteille de champagne traîne ici, non mais... dois-je continuer?

– C'est la première fois que cela m'arrive.

Marie-France, qui assistait au spectacle, trouvait Philippe un peu moins frondeur, soudainement. Ce n'est pas le genre de comportement qu'elle appréciait le plus chez un homme. «Il est meilleur pour défendre les intérêts de son hôpital que ses propres intérêts personnels», pensa-t-elle en allant à son tour dans la salle de bain.

– Espèce de menteur, Philippe St-Laurent!

Et, avançant vers lui, elle le lui répéta à nouveau.

– Tu n'es qu'un menteur. Tu me fais pitié.

– Pourquoi dis-tu ça, Claire?

– N'oublie pas que j'ai utilisé ta voiture, aujourd'hui.

– Puis? dit-il.

– J'ai dû réajuster le siège du conducteur car, vois-tu, mes jambes sont juste un peu plus courtes que les tiennes. Et le mécanisme pour faire avancer le siège était coincé. Souhaites-tu que je continue?

Philippe sentit instantanément sa pression chuter. «La vidéocassette... Oh non! Je l'ai oubliée sous mon siège.»

– ... je suis sortie de la voiture pour voir ce qui bloquait le mécanisme. Quelle ne fut pas ma surprise lorsque j'ai trouvé une vidéocassette sous le siège. Dois-je continuer? répéta-t-elle une seconde fois.

– Ça va, Claire. Je vais tout t'expliquer.

– Il n'y a rien à expliquer. Il est évident que tu ne m'aimes plus. Un homme qui a eu une maîtresse pendant deux ans et dont la rupture avec celle-ci vient à peine de survenir... nous parlons de combien de mois, exactement?

– Presque trois mois, répondit-il en se promenant dans la pièce.

– Et tu es déjà avec une autre. Ça va bien, tes affaires. Pas trop malheureux d'avoir été plaqué par la belle Caroline ? Quand je pense que je te faisais confiance. Faut-il être assez idiote pour n'avoir rien remarqué !

– Arrête, Claire, tu vas trop loin.

– C'est toi qui va arrêter, Philippe. Celui de nous deux qui est allé trop loin, c'est toi !

Claire s'approcha de la porte.

– Je m'en vais rejoindre les enfants et ne te presse surtout pas ; je te laisse à ta sous-ministre. Mangez, parce que ça risque d'être froid ! dit-elle d'un air hautain.

– Claire !

Elle sortit de la chambre sans lui répondre et, la rage au cœur, elle marcha jusqu'aux ascenseurs. Elle sortit de l'hôtel pour aller à sa voiture lorsqu'elle se ravisa. Au lieu de retourner immédiatement à la maison, elle décida d'aller faire un tour *Chez Biddle*.

La place était bondée ce soir-là. Elle s'installa à une table et commanda une *Corona*. Que lui arrivait-il soudain ? Il y avait à peine quelques mois, elle menait une vie heureuse, sans embûches. Pourquoi n'avait-elle jamais soupçonné qu'il la trompait ? Où avait-elle manqué ? Lui faisait-elle trop confiance ?

* * *

Il était vingt-trois heures trente lorsque le serveur s'approcha d'elle.

– Madame, êtes-vous en voiture ?

– Oui, pourquoi ?

– Désirez-vous que nous vous appelions un taxi ?

– Pourquoi ? répéta-t-elle.

– Vous êtes sûrement au-dessus de la limite d'alcool permise. Nous ne pouvons vous laisser partir ainsi.

Claire ne s'était pas aperçue qu'elle en était à sa quatrième bière depuis son arrivée.

Subitement, elle pensa aux enfants. Ils n'avaient pas besoin, en plus d'un père ignoble, d'une mère irresponsable.

– Ça va, appelez-en un, réussit-elle à articuler.

Elle quitta le bar de jazz à bord d'un taxi, en direction de Saint-Lambert, laissant la voiture de Philippe dans la rue Président-Kennedy.

CHAPITRE XVII

Un combat gagné ou perdu ?

Immédiatement après la visite surprise de Claire au *Delta*, Philippe avait mis fin à la soirée, n'ayant plus le cœur à la fête. Ni Marie-France, d'ailleurs. Conscient qu'il ne serait pas le bienvenu à la maison, il avait marché jusqu'à Sainte-Famille pour aller dormir dans la chambre d'un résident, disponible ce soir-là. Il comprit que dans les circonstances, c'était probablement la meilleure chose à faire. Il laisserait retomber la poussière et Claire finirait par oublier.

Le lendemain fut une des pires journées de sa vie, bien que rien ne pût amoindrir l'atmosphère de joie qui régnait à l'intérieur de l'hôpital. Vers dix heures, il quitta l'hôpital, désirant s'expliquer auprès de Claire. Sa réaction de la veille était des plus normales, mais ils devaient analyser ce qui s'était produit au cours des deux dernières années. Même s'il avait souhaité la quitter, il fut étonné de vouloir récupérer la situation.

Toutefois, une surprise de taille l'attendait à son arrivée ; tous ses effets personnels avaient été soigneusement disposés à l'intérieur de deux grandes valises, ses complets placés dans de grandes enveloppes de nylon.

Claire était intraitable. Il n'était plus question qu'il demeure à la maison ; passer l'éponge était au-dessus de ses forces, du moins pour l'instant.

Philippe s'installa dans un trois pièces à quelques rues de l'hôpital. Il vivait plus ou moins bien cette séparation définitive. Ce qui le dérangeait le plus, c'était le fait que Marie-France exigeait du temps avant de poursuivre leur relation qui n'avait pas encore été consommée ; Claire était arrivée au mauvais moment.

Marie-France aimait profondément Philippe, mais elle désirait lui laisser le temps de se retrouver. S'ils étaient faits l'un pour l'autre, la vie se chargerait de les réunir.

Le projet du nouveau centre hospitalier Sainte-Famille fonctionnait à merveille. La ministre de la Santé et des Services sociaux, toujours en fonction malgré les intentions du premier ministre, venait d'autoriser l'affichage du poste de directeur général. La dernière rumeur qui circulait dans l'hôpital voulait que le prochain directeur général soit une femme, probablement Marie-France Tousignant. Presque tous les employés s'entendaient pour dire que ce serait un choix judicieux.

La gestion des centres Sainte-Anne et Marie-Reine-de-l'Incarnation fut confiée, de façon intérimaire, à Roger Lapointe. La structure organisationnelle demeurait inchangée. Une autre rumeur circulait cependant depuis quelques jours : le ministère de la Santé et des Services sociaux s'apprêterait à annoncer publiquement que l'hôpital Sainte-Anne deviendrait un centre ambulatoire où s'effectueraient toutes les investigations cliniques et la chirurgie d'un jour ; l'hôpital Marie-Reine-de-l'Incarnation serait alors dédié exclusivement aux soins d'urgence et aux activités médicales et chirurgicales demandant une hospitalisation de plus d'une journée.

Ces deux centres hospitaliers demeureraient près de la population nombreuse de ce secteur de Montréal et répondraient, par ricochet, aux normes de sécurité en matière de mesures d'urgence advenant un sinistre à l'une des bâtisses du réseau hospitalier du centre-sud de Montréal.

Finalement, tous furent heureux de cette décision de donner un nouveau souffle à Sainte-Famille : le personnel et les médecins de l'hôpital, la communauté scientifique, les patients, la population environnante, le monde des affaires, les urbanistes et les architectes de ce monde.

Il n'y eut aucun détracteur... aucun !

Enfin, après tant d'années de tergiversations, le gouvernement du Québec avait réussi à proposer un projet rassembleur. Sainte-Famille fêterait ses deux cent soixante-quinze ans l'an prochain.

Philippe St-Laurent passerait certainement à l'histoire après avoir gagné un tel combat. Mais à quel prix ?

Lexique médico-administratif

AQAM : Association québécoise des archivistes médicales. Cette association regroupe près de mille membres dont le principal rôle est d'assurer une mise à jour continuelle des connaissances professionnelles de l'archiviste médicale pour une meilleure protection du public.

Archiviste médicale : L'archiviste médicale est une professionnelle de la santé qui assume toutes les responsabilités relatives à la gestion, au traitement, à l'accès et à la protection de l'information contenue dans le dossier des usagers des services de santé et des services sociaux. Elle détient un diplôme en archives médicales découlant d'une formation collégiale qui, tout comme celui des techniciens et techniciennes en santé, est constitué d'une formation théorique et de stages pratiques.

CHQ : Corporation d'hébergement du Québec.

• Offre aux intervenants du secteur de la santé et des services sociaux, moyennant considération et dans un objectif d'autofinancement, l'expertise technique et financière ainsi que le financement nécessaire à la gestion, à la construction, à l'entretien et à l'acquisition d'immobilisations, d'équipements et d'infrastructures socio-sanitaires.

CHSLD : Centre hospitalier de soins de longue durée. Établissement de santé, communément appelé un milieu de vie et de soins, où les personnes résident en permanence.

CHUL : Centre hospitalier universitaire de Laval qui fait partie maintenant du CHUQ (Centre hospitalier universitaire de Québec).

• Possède des biens utilisés ou qui doivent être utilisés par un établissement de santé et de services sociaux, par une Régie régionale ou par un conseil régional de la santé et des services sociaux, ou par toute autre personne, société ou association désignée à cette fin par le ministre de la santé et des services sociaux ou par le gouvernement.

CLSC : Centre local de services communautaires. Établissement de santé qui est l'une des principales portes d'entrée du réseau de la santé. Desservant un territoire bien délimité, le CLSC a pour mission, par une approche globale, multidisciplinaire et communautaire, d'améliorer l'état de santé et du bien-être des individus d'une communauté. Il a également pour objectif de rendre plus responsables les particuliers et leurs proches dans la prise en charge de leur santé et de leur bien-être. C'est au CLSC qu'incombe la responsabilité des services courants et des programmes spécifiques axés principalement sur la prévention.

CMDP : Le Conseil des médecins, dentistes et pharmaciens est composé de tous les médecins, dentistes et pharmaciens qui travaillent dans un établissements de santé. Ce conseil a pour mandat d'adopter les règlements concernant sa régie interne, de créer des comités, chargés notamment des titres, de la discipline, de l'évaluation de l'acte médical, de la pharmacologie, et d'assurer le fonctionnement desdits comités.

CSUGM : Centre de santé universitaire du Grand-Montréal qui regroupe les centres hospitaliers **fictifs** suivants : Hôpital Sainte-Famille, Sainte-Anne et Marie-Reine-de-l'Incarnation. Ces centres hospitaliers ont été respectivement fondés en 1728, 1868 et 1893.

DSP : Direction ou directeur des services professionnels. Sous l'autorité du directeur général, le directeur des services professionnels répond aux obligations que lui confie la Loi sur les services de santé et des services sociaux. Il détient un droit de surveillance du fonctionnement du Conseil des médecins, dentistes et pharmaciens (CMDP), notamment en ce qui concerne l'appréciation des actes médicaux, dentaires et pharmaceutiques. De plus, le directeur des services professionnels peut diriger des services diagnostiques (radiologie, laboratoire) et médico-administratifs (admission, archives médicales).

Exécutif du CMDP : Exerce les responsabilités du CMDP. En général, il est formé de sept membres dont cinq membres du Conseil des médecins, dentistes et pharmaciens désignés par le Conseil, le directeur général et le directeur des services professionnels. Puisque le **CSUGM** traite de la fusion de trois centres hospitaliers, l'exécutif du CMDP compte onze membres dont neuf médecins, le directeur général et le directeur des services professionnels qui, **à dessein**, n'ont pas été invités aux réunions. Le lecteur pourra trouver surprenant que la composition de l'Exécutif du CMDP ne soit pas tout à fait équitable... Cela aussi fut volontaire de la part de l'auteur.

Résident : La personne qui, dans un établissement, effectue un stage en vue de l'obtention d'un permis d'exercice ou d'un certificat de spécialiste décerné par le Collège des médecins du Québec, ou qui effectue un stage en vue de parfaire sa formation professionnelle.

Il y a deux types de résidents :

• Le premier, résident en médecine familiale, doit suivre deux années de stage avant d'obtenir son permis d'exercice ;

• Le deuxième, résident qui poursuit ses études dans un programme de spécialité (gastro-entérologie, chirurgie cardiaque, neurologie, etc.). Ces stages peuvent s'échelonner sur une période de quatre à sept ans avant que le résident obtienne son permis d'exercice.

SIT-IN : Réaction des employés qui refusent de débuter le quart de travail dû à un manque important de ressources humaines selon la proportion établie. Ils réagissent ainsi par crainte que la santé et la sécurité des patients et des employés soient menacées en raison du peu de moyens disponibles pour le nombre de patients alités. (Ces employés demeurent assis sur leurs chaises). En général, le *sit-in* a lieu dans des secteurs névralgiques tels que l'urgence. Les administrateurs n'ont pas d'autres choix que de trouver des solutions rapides, comme demander à des employés ou des cadres d'effectuer des heures supplémentaires.

Dans la collection
Romans

- Jean-Louis Grosmaire, **Un clown en hiver**, 1988, 176 pages. Prix littéraire *Le Droit*, 1989.
- Yvonne Bouchard, **Les migrations de Marie-Jo**, 1991, 196 pages.
- Jean-Louis Grosmaire, **Rendez-vous à Hong Kong**, 1993, 276 pages.
- Jean-Louis Grosmaire, **Les chiens de Cahuita**, 1994, 240 pages.
- Hédi Bouraoui, **Bangkok blues**, 1994, 166 pages.
- Jean-Louis Grosmaire, **Une île pour deux**, 1995, 194 pages.
- Jean-François Somain, **Une affaire de famille**, 1995, 228 pages.
- Jean-Claude Boult, **Quadra. Tome I. Le Robin des rues**, 1995, 620 pages.
- Jean-Claude Boult, **Quadra. Tome II. L'envol de l'oiseau blond**, 1995, 584 pages.
- Éliane P. Lavergne. **La roche pousse en hiver**, 1996, 188 pages.
- Martine L. Jacquot, **Les Glycines**, 1996, 208 pages.
- Jean-Eudes Dubé, **Beaurivage. Tome I**, 1996, 196 pages.
- Pierre Raphaël Pelletier, **La voie de Laum**, 1997, 164 pages.
- Jean-Eudes Dubé, **Beaurivage. Tome II**, 1998, 196 pages.
- Geneviève Georges, **L'oiseau et le diamant**, 1999, 136 pages.
- Gabrielle Poulin, **Un cri trop grand**, 1999, 240 pages.
- Jean-François Somain, **Un baobab rouge**, 1999, 248 pages.
- Jacques Lalonde, **Dérives secrètes**, 1999, 248 pages.
- Jean Taillefer, **Ottawa, P.Q.**, 2000, 180 pages.
- Hélène Brodeur. **Marie-Julie**, Mars 2001, 180 pages.
- Paul Prud'Homme. **Kosovo… et l'amour**, 2002, 108 pages.
- Nancy Vickers. **Les satins du diable,** 2002, 268 pages.
- Lise Bédard. **Un soir, la vieille maison a parlé**, 2002, 300 pages.

TABLE DES MATIÈRES

Le combat de Philippe St-Laurent
est le deux cent quarante-quatrième titre
publié par les Éditions du Vermillon

Composition
en Bookman, corps onze sur quinze
et mise en page
Atelier graphique du Vermillon
Ottawa (Ontario)
Films de couverture
Impression et reliure
AGMV Marquis
Hull (Québec)
Achevé d'imprimer
en novembre deux mille deux
sur les presses de
AGMV Marquis
pour les Éditions du Vermillon

ISBN 1-894547-49-7
Imprimé au Canada